*Avec toute
mon amitié : avec
ce poème puissiez-vous
grandir dans l'amour,
d'avec le Christ l'un
l'autre).*

Bernard Lavoie

Amis lecteurs

*Dans ce livre
comme dans les précédents
Un amour de couple et
Des amours de parents,
je vous invite
à vous impliquer personnellement
dans la rédaction de ces pages.*

*Prenez quelques instants
pour discuter les questions
et y répondre par écrit.
Cela vous rapprochera l'un de l'autre
et vous fera grandir dans l'amour.*

De tout cœur,

Chuck

Chuck Gallagher, s.j.

ASSEZ GRANDS POUR AIMER

est la traduction du livre LOVE TAKES GREATNESS
publié originalement aux États-Unis.

Traduction et adaptation
Christiane Croteau, Aline Lesage-Pilon,
Jacques Cloutier, sous la responsabilité de
l'Université Saint-Paul, Ottawa.

Collaboration
Marriage Encounter/Renouement conjugal
Services à la communauté
C.P. 460, Gatineau, Qué.   J8P 7A1

Maquette
Gilles Lépine

Photographies:
Lois & Bob Blewett, Sadlier Inc., sauf: p. 7, Gene
Wieland; 26, Suzanne Robichaud; 40, 52, 79, Gilles
Savoie; 57, Claude Gravel; 66, Ellefsen.

Édition
NOVALIS, C.P. 498, Succursale A, Ottawa
Canada K1N 8Y5

Dépôt légal
2e trimestre 1978
Bibliothèque nationale du Canada
Bibliothèque nationale du Québec
ISBN: 0-88587-023-9

NOVALIS

ASSEZ GRANDS
POUR
AIMER

CHUCK GALLAGHER, S.J.

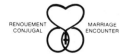

RENOUEMENT CONJUGAL / MARRIAGE ENCOUNTER

NOVALIS

Notre amour est grand ...

*mais pour qu'il dure
et grandisse encore,
ça prend de la grandeur d'âme.*

Il fait bon
revivre
les grands
moments
de notre
amour:

Nos premières rencontres...

La fierté des soirs de graduation

Nos peines
et
nos joies ...

Et voilà que tout recommence à nouveau!

7

Les choses qui _me_ concernent
Les choses qui _te_ concernent
Les choses qui _nous_ concernent
   tous les deux

pour nous deux

Désirs de l'époux

Désirs de l'épouse

LES VALEURS

La plus grande de vos valeurs,
c'est votre amour l'un pour l'autre.

Qu'est-ce qu'une valeur ?   *Votre réponse :*

Chacun de nous possède des valeurs personnelles. Leur ordre d'importance varie, sans doute, d'un individu à l'autre, mais ces valeurs existent en chacun de nous. Ce sont elles qui déterminent l'orientation que nous donnons à notre vie.

Elles comportent généralement un élément positif. La confiance en soi est d'un grand prix pour nous. La beauté, la vérité, la bonté, sont également importantes. On estime de même la sincérité, la loyauté, la fidélité, l'intégrité, la sociabilité, la piété, le patriotisme, l'esprit de famille, la spiritualité, la sécurité, l'éducation, la popularité, la religion... La liste est inépuisable.

Ce sont nos valeurs qui donnent une motivation à nos actes; elles déterminent le but et l'orientation de notre vie, et c'est l'ensemble de nos valeurs qui constitue la vision que nous avons de notre vie.

Il arrive que deux valeurs essentielles conduisent à des choix contradictoires: par exemple, la générosité pourrait s'opposer à la sécurité; ou bien l'esprit de famille pourrait nous faire manquer à nos devoirs de bon voisinage.

Nous n'avons pas toujours l'occasion de mettre en pratique chacune de nos valeurs. Non pas que l'une d'entre elles n'en vaille pas la peine, mais nous attachons plus d'importance à certaines valeurs qu'à d'autres. Il nous est déjà difficile de reconnaître les valeurs que nous possédons, et nous avons encore bien plus de mal à les classer par ordre d'importance!

Le seul moyen que nous ayons de prendre conscience de nos valeurs, c'est de considérer nos décisions et notre façon de vivre. Nous pouvons, par exemple, dire que les valeurs religieuses sont les plus importantes pour nous, surtout lorsqu'il s'agit de l'éducation de nos enfants; notre milieu de vie, cependant, véhicule tant de valeurs diverses qu'il n'est pas facile d'implanter les valeurs religieuses dans le cœur de nos enfants. Nous pouvons aussi affirmer que nous attachons la plus grande importance à l'esprit de famille alors que nous semblons ne jamais être disponible l'un pour l'autre.

Un instituteur peut dire que ce qui compte le plus pour lui sont ses relations avec ses élèves, mais il ne trouve jamais le temps de leur parler, même en classe. Il passe la plus grande partie de son temps à lire: la recherche de la vérité a donc plus d'importance pour lui. En d'autres termes, pour découvrir nos valeurs, il faut considérer notre façon d'agir et l'orientation de nos décisions les plus importantes. Nous devons aussi connaître l'ordre de priorité de nos valeurs et ceci, aussi bien d'une façon globale que dans des circonstances spécifiques, car cet ordre peut varier.

Il arrive que nous éprouvions une désillusion en essayant

Les valeurs,
ça se transmet tout seul
aux enfants!

de voir clair dans nos valeurs. Nous avons une bonne opinion de nous et sommes convaincus du bien-fondé et de la solidité de nos valeurs; nous croyons vivre selon le mode de vie que nous avons choisi. Mais à certains tournants de notre existence, nous pouvons être amenés à modifier notre échelle des valeurs. Celle-ci ne sera sans doute pas la même à 16, 26 puis 56 ans, même si nous avons été sincères à chaque fois.

Essayons de faire le point pour découvrir ce qui est le plus important pour nous au moment présent. Un couple à la recherche d'une belle et saine relation conjugale doit, en effet, partager ses valeurs, fondement de ses ambitions et de ses buts.

Pourquoi vous êtes-vous mariés?   *Votre réponse:*

Quand notre cœur bat plus fort, que tout nous paraît merveilleux et que nous sommes physiquement attirés l'un vers l'autre, c'est qu'une réaction chimique naturelle s'opère en nous. L'idée que nous pourrions devenir des partenaires éventuels nous est, en effet, tout d'abord venue de la vue d'un visage et d'un corps avenants.

Au fur et à mesure que passent les années et que nos traits perdent un peu de leur séduction, nous avons tendance à attacher moins d'importance à cet attrait physique. En outre, nous voyons que l'aspect physique, aussi important qu'il ait pu être au début, ne peut à lui seul faire durer un mariage.

Au moment de nos premières fréquentations, d'autres personnes ont attiré notre attention et nous n'étions pas indifférents à leur charme; mais nous ne sortions pas avec eux ou, si tel était le cas, pour très peu de temps seulement. Pourquoi? Tout simplement parce qu'ils (elles) n'étaient pas «notre genre». Ils avaient beau être formidables, ils ne réussissaient pas à vraiment nous capter. Nous avons sans doute dit des choses telles que: «Wow, quelle poupée! Mais dans la tête il n'y a rien.» Ou bien: «Mon cœur fait toc toc quand je le regarde, mais il est tellement centré sur lui...» Ou encore: «Elle est jolie, mais elle parle et parle pour ne rien dire.» Ou enfin: «Il est beau garçon, mais tellement ennuyant.» Donc, même dans les tout premiers temps de nos rendez-vous, nous recherchions déjà quelque chose de plus que l'attirance physique: nous recherchions les qualités que nous espérions trouver, que nous pouvions apprécier et admirer.

Ce que nous cherchions, c'est quelqu'un de réceptif et de chaleureux, avec qui nous pouvions parler ouvertement, être nous-mêmes. Bien que nous n'ayons peut-être pas employé le terme «compatibilité», c'est ce que nous recherchions. Nous sentions d'instinct qu'une véritable relation allait bien plus loin que l'attrait physique.

Nous trouvions important de pouvoir dire: «Il me comprend» ou bien: «Elle m'écoute». Nous recherchions un être avec qui nous pouvions communiquer et parler. Tout ce qui touchait l'autre nous intéressait et nous voulions aussi que l'autre nous connaisse. Il y a beaucoup de choses dont nous n'aurions parlé avec personne d'autre. Nous avions besoin de quelqu'un avec qui nous pouvions partager les secrets de notre cœur.

Je connais un couple qui semble être aussi différent que le jour et la nuit: Claire était une jeune fille pétillante, le boute-en-train dans une soirée. Dès qu'elle le pouvait, elle entreprenait un voyage ou partait en vacances. Toujours vêtue selon le dernier cri, elle fréquentait les endroits les plus à la mode. Daniel était du genre calme et réservé. Lorsqu'il lui arrivait d'aller à une veillée, il était gauche. Elle, pleine d'esprit, de joie et de personnalité, n'arrêtait jamais. Lui, passait totalement inaperçu et la plupart des gens ne faisaient aucun cas de lui.

Claire me dit qu'ils avaient habité depuis leur enfance dans le même bloc de maisons et elle avait toujours pensé que Daniel était un de ces êtres tristes et taciturnes, qui semblent ignorer toute joie. De son côté, Daniel considérait

Claire comme quelqu'un de superficiel, une étincelle qui ne valait pas la peine qu'on s'y attarde. Au cours d'une panne d'électricité, ils furent coincés pendant trois heures dans un ascenseur. Daniel découvrit alors que Claire prenait au sérieux tout ce qu'il faisait, qu'elle attendait exactement la même chose de la vie que lui; de son côté, Claire découvrit qu'il était tout à fait son genre d'homme.

Il n'avait jamais su parler aux filles; mais dans l'ascenseur il avait senti comme un courant entre eux et il avait parlé librement. Plus il parlait, mieux elle semblait le comprendre. Ils étaient tellement pris par leur conversation qu'ils en avaient oublié la panne d'ascenseur et leur position inconfortable. Chacun avait hâte de découvrir leur commune ressemblance. Cela devenait presque un jeu au fur et à mesure que chacun révélait, en l'extirpant du plus profond de lui-même, ce qu'il attendait de la vie et qu'il avait jusqu'alors soigneusement gardé en lui.

Dans cet ascenseur ils se trouvaient dans une situation analogue à celle des premiers chrétiens, qui se réunissaient dans les catacombes pour pouvoir parler librement. Pour l'un et l'autre, les liens de famille avaient une grande importance et tous deux pensaient que quelques vrais amis valaient mieux qu'une foule de «connaissances» superficielles. Pour l'un et l'autre Dieu et l'Église étaient essentiels à la vie. Tous deux aimaient et voulaient des enfants, sans cependant en faire le centre de leur univers. Ils attachaient plus d'importance aux livres qu'à l'école; ni l'un ni l'autre ne cherchaient vraiment à faire une carrière fulgurante ou à obtenir de l'avancement. Tous deux pensaient qu'un homme pouvait parfaitement être gentil, une femme ne pas sacrifier la tendresse, pour être moderne. Chacun d'eux était déterminé à trouver le bonheur dans l'état du mariage. Pour eux, lorsque les lumières s'éteignirent, la lumière se fit... et elle les éclaire encore!

*L'harmonie
ça s'exprime de toutes les manières
entre nous !*

**Qu'est-ce qui maintient
l'unité de votre couple?**   *Votre réponse:*

Beaucoup de facteurs contribuent à maintenir l'unité des
couples. Le premier d'entre eux est, évidemment, le fait
que nous soyons mariés et ayons des enfants. Ensemble,
nous créons un certain style de vie dans lequel chacun de
nous est important pour l'autre. De même, l'histoire que
nous avons vécue ensemble nous relie l'un à l'autre.
Ensemble, nous avons affronté et surmonté des crises.
Nous avons connu de grandes joies et beaucoup d'amour.
   Mais l'élément primordial de notre union, ce sont les
valeurs que nous partageons. Elles sont le ciment qui nous
tient ensemble. Elles constituent la base de tous nos rapports réciproques et donnent un sens à notre vie. Elles
motivent nos décisions, donnent de l'intégrité à notre vie et

nous valorisent comme personnes. Elles entourent nos ambitions et nos rêves les plus chers. Plus que tout autre facteur, ce sont nos valeurs qui nous donnent l'assurance que nous serons fidèles à ce que nous sommes.

Tout ce qui peut nous unir en dehors de cela est sujet aux vicissitudes de la vie quotidienne. Nos sentiments sont variables et peuvent même changer d'une minute à l'autre. Nos rapports avec nos enfants se modifient continuellement. Nous pouvons changer de domicile, de genre de vie et même d'amis. Un changement radical peut intervenir dans nos rapports avec notre famille, à la suite d'un décès, d'une séparation ou d'une défaillance humaine. Dans les relations, peu de choses peuvent être considérées comme vraiment stables, si ce n'est nos valeurs.

Toute relation d'amour est mue par les sentiments: ce sont eux qui font naître notre attrait réciproque, qui font briller nos yeux, et c'est à cause d'eux aussi que nous sourions. Cependant, les sentiments vont et viennent. C'est donc dans nos valeurs que réside la stabilité de nos rapports. Elles sont, de ce fait, le noyau même de notre amour l'un pour l'autre. C'est d'elles que dépendent la profondeur, la force, la beauté et la qualité de notre amour et de notre sensibilité l'un pour l'autre. Les valeurs sont la charpente sur laquelle nous construisons tout l'édifice de nos sentiments.

Dans une relation conjugale il est essentiel que chacun des conjoints se rende compte de la bonté de l'autre. Cette bonté se révèle dans les choses qui lui sont chères et les valeurs qu'il (elle) considère comme importantes. La personnalité profonde d'un individu se discerne le mieux dans ses valeurs. Même aux moments où un mari semble moins attrayant, ses valeurs demeurent et c'est à travers elles qu'il reste attirant!

Les liens entre nous seront d'autant plus étroits que nous aurons conscience des valeurs de l'autre. Si nous nous écartons de nos valeurs, ou si nous supposons que le conjoint prend une autre orientation, le malheur et la mésentente s'ensuivront.

À un moment donné, mon ami Claude était très mécontent de lui: il ne donnait pas à Marie, sa femme, la vie que, selon lui, elle méritait. Ils n'avaient généralement pas plus d'argent qu'il ne fallait et son travail était si astreignant, qu'il en était souvent de mauvaise humeur. Il ne se considérait pas comme un bon mari, et pourtant ils avaient échangé de si belles promesses lors de la célébration de leur mariage !

De son côté, Marie était également inquiète. Elle savait que Claude ne se sentait pas fier de lui en tant que mari. Au début de leur mariage, elle s'attendait à pouvoir disposer de plus d'argent qu'ils n'en possédaient, mais dans l'ensemble elle était satisfaite de son mariage. Il y avait, bien sûr, des choses qu'elle n'avait pas, mais elle avait cependant une confiance fondamentale en Claude et en elle, et souhaitait qu'il en soit de même pour lui.

Puis il se produisit quelque chose qui changea tout. Un soir d'automne leur apporta une surprise: les enfants s'étaient couchés sans difficulté et endormis presque aussitôt. Claude et Marie purent se détendre ensemble et se mirent à parler. Claude commença en s'excusant: « Chérie, je ne t'ai pas donné la maison dont nous rêvions et même la « Saint-Vincent-de-Paul » hésiterait à accepter nos meubles. Il m'est difficile de te sortir, ne serait-ce que deux fois par mois, et tu dois compter le moindre sou lorsque tu vas faire tes achats à l'épicerie. Tu ne peux appeler ta mère qu'à de rares occasions car nous n'avons pas de quoi payer les factures; nous ne disposons pas non plus d'économies. Quelle vie est-ce pour toi? »

« Elle est bonne, dit Marie. Je me rends compte qu'un couple peut être heureux même s'il n'a pas tout ce dont il rêvait. J'ai ce que je voulais: une vie dans laquelle nous deux et les enfants sommes plus importants que tout le reste. Nous sommes attentifs l'un à l'autre, et nous sommes reconnaissants à nos amis de l'être aussi. Nous attachons tous deux plus d'importance à améliorer ce monde qu'à y progresser. Nous aimons rendre service aux autres. Bien sûr, je ne peux pas téléphoner à maman très souvent, mais elle sait que nous pensons tous deux à elle avec affection. »

Puis Claude se mit à faire des comptes: « Tu t'occupes plus de ma mère que ne le font mes sœurs. Toutes les belles-mères devraient avoir cette chance ! Selon toi, nous

le plus important de tous les mots c'est "NOUS"

passons tous deux avant tout le reste, même avant les enfants. Tout le voisinage t'estime et aucun de nous ne se plaint. Nous ne nous contentons pas seulement de vivre, nous trouvons encore le moyen d'être heureux ! Je continue à souhaiter de gagner davantage, mais je n'échangerais certes pas cet argent contre ce que nous avons à présent. »

Marie fit le point sur ce qu'ils possédaient: « Nous sommes bons l'un envers l'autre. En général, je me considère comme peu douée quand il s'agit de faire un choix, mais je ne me suis certainement pas trompée dans le plus important que j'ai eu à faire: je t'ai choisi, et je te choisirais encore. » Ces paroles relevèrent complètement le moral de Claude.

Les valeurs varient peu d'une année à l'autre. Nous avons sensiblement les mêmes que lorsque nous nous sommes rencontrés pour la première fois. Nous les exprimons peut-être différemment, ou nous avons plus ou moins souvent l'occasion de les mettre en application, mais les valeurs de base restent identiques. Ce sont elles qui ont fait de « lui » mon genre d'homme et « d'elle » mon idéal de femme.

Puisque nos valeurs étaient déjà passablement bien fixées lorsque nous nous sommes mariés et qu'elles ne se modifieront que peu durant notre vie, elles constituent la base la plus solide pour l'édification de nos relations. En effet, nous n'allons pas nous réveiller un jour aux côtés d'un conjoint devenu un parfait étranger, ayant un système de valeurs différent.

Nous devrions être conscients du fait que ces valeurs sont un don qui nous vient de notre amour réciproque. Elles font partie intégrante de notre état de couple et nous donnent de l'assurance pour l'avenir.

Si vous pouviez faire trois vœux, que demanderiez-vous ?

Votre réponse :

La bonne fée est un personnage traditionnel de la littérature enfantine. Mais les contes de fées ne sont pas réservés aux enfants ! La perspective de voir se réaliser trois souhaits n'est-elle pas des plus alléchantes ? Nous savons, bien sûr, que c'est un rêve, mais il est tellement beau ! Comme ce serait merveilleux s'il se réalisait !

Dans les contes, ceux qui ont la possibilité de faire trois vœux souhaitent généralement des choses insensées. Nous sommes sûrs qu'à leur place nous saurions faire des choix plus judicieux et nous n'attendons que l'occasion de le prouver.

Qu'à cela ne tienne : imaginez que votre marraine-fée vous tape sur l'épaule avec sa baguette magique et vous promet d'exaucer trois de vos vœux. Quels seront-ils ?

S'il y a un sérieux problème de santé dans votre entourage, nul doute qu'il fera l'objet de votre premier vœu.

Il est fort probable aussi que l'un de vos souhaits sera relatif à l'argent. Non pas que vous désiriez le *gros lot*, mais simplement un peu plus que ce dont vous disposez en ce moment. Vous aimeriez peut-être aussi une plus belle maison ou une meilleure école pour vos enfants. Et peut-être souhaiteriez-vous aussi que votre mari trouve un travail qui lui donne plus de satisfaction. Ou vous rêvez peut-être d'un certain voyage ou de qualités humaines telles que la tranquillité d'esprit ou la bonne entente dans la famille.

Vos préoccupations peuvent se situer aussi à une plus haute échelle : vous souhaiteriez alors des choses comme la paix sur la terre, des conditions de vie décentes pour tout le monde et la liberté pour tous les peuples. Vous souhaiteriez peut-être aussi que chaque être humain trouve quelqu'un qui le comprenne, que la gentillesse et l'amabilité règnent sur le monde et que tous les enfants soient protégés et aimés.

Il y a tant de choses que nous pourrions souhaiter que le choix d'un troisième souhait est vraiment difficile. Les deux premiers concernant la santé et l'argent étaient peut-être évidents, mais lorsqu'il ne nous reste qu'un souhait à formuler, le choix est quasi impossible. Alors nous essaierons de tricher un peu en souhaitant voir exaucés tous nos vœux !

Que révèlent vos souhaits au sujet de vos valeurs?   _Votre réponse:_

Les souhaits que nous formulons nous renseignent sur l'état de notre cœur. À la question de savoir ce que nous apprécions le plus, nous indiquerions sans doute des valeurs très élevées, et ceci pas forcément dans le but d'impressionner les gens, mais parce que nous croyons sincèrement agir en les respectant. Ce n'est que lorsque nous nous trouvons au pied du mur, dans le concret de la vie, que les choses changent.

Cela n'est pas dû à un manque de valeurs humaines; mais ces valeurs ne font tout simplement pas partie de nos habitudes de vie et, en prenant nos petites décisions quotidiennes, nous ne pensons pas aux valeurs qui peuvent les influencer. Il est important pour nous de connaître nos valeurs: nous pouvons ainsi mieux nous rendre compte de leur rôle dans notre vie de couple.

Voici quelques questions que nous devrions nous poser: Combien de nos souhaits relèvent de l'égocentrisme (nous pouvons même inclure les souhaits que nous avons dû éliminer)? Il est évident que l'honnêteté s'impose dans cet examen. Tout en souhaitant sincèrement un meilleur

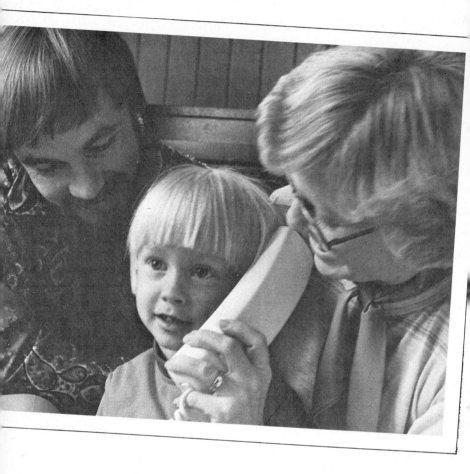

Grand-papa Léo,
nous te préparons
une grosse surprise
pour ta fête...

travail pour son mari, une femme pense en réalité aux avantages personnels qu'une telle augmentation lui procurerait. De son côté, un mari peut souhaiter une promotion ou une augmentation qui lui permettrait de faire davantage pour sa femme et ses enfants, mais au plus profond de lui-même il la souhaite pour se sentir mieux dans son rôle de chef de famille.

Combien de nos choix sont centrés sur des choses matérielles? Une maison plus grande, plus de commodités, une nouvelle voiture? Nous ne cherchons pas ici à être naïfs en suggérant que l'argent n'est pas important. Il l'est, bien sûr, et joue un grand rôle dans notre vie. Personne, en effet, ne rêve de vivre dans la pauvreté. Mais quelle place l'argent occupe-t-il réellement dans nos pensées?

Une question importante que nous devrions nous poser est la suivante: si c'était Dieu et non la fée qui nous était apparu et nous avait dit: « Demande-moi ce que tu veux », qu'aurions-nous répondu? Si nous sommes honnêtes, la plupart d'entre nous admettront qu'en ce cas leur réponse serait quelque peu différente car, en face de Dieu, nous penserions au côté spirituel des choses. Nous faisons donc une distinction entre les aspects quotidiens et habituels de la vie, et l'aspect spirituel. N'avons-nous pas là matière à réflexion?

Combien de nos vœux concernent notre mariage? Il est facile d'affirmer que nous considérons le mariage comme l'expérience la plus intéressante de notre vie, mais est-il possible que nous n'y ayons pas songé en formulant nos trois vœux? Cela signifierait que notre mariage ne nous préoccupe pas outre mesure. Nous nous disons peut-être que notre ménage va bien mais que c'est d'argent que nous avons besoin dans l'immédiat: les enfants ont besoin de choses et la maison doit être remise en état. Cependant, ce sont trois vœux à réaliser qu'on nous a demandés, et non pas lesquels de nos problèmes nous aimerions voir résolus, ni quelles sont les trois difficultés devant lesquelles nous nous trouvons.

Le fait que notre mariage ne figure pas sur notre liste de souhaits n'est-il pas éloquent? Cela veut dire que nous sommes satisfaits de notre vie de couple et que nous ne

Tu m'as appris
à m'émerveiller
de tout et de rien!

demandons pas davantage. Mais que voulons-nous dire exactement : que nous ne voyons pas comment améliorer nos relations ou bien que d'autres choses comptent davantage pour nous? Si quelqu'un affirmait que l'argent est pour lui la chose la plus importante et omettait de le mettre sur sa liste, nous le trouverions plutôt inconséquent. Et si, pour quelqu'un d'autre, la religion représentait la plus grande valeur mais ne figurait pas parmi ses souhaits, nous nous poserions des questions sur sa sincérité.

Donc, si nous disons que notre mariage donne tout son sens à notre vie et que, par ailleurs, il ne figure pas parmi nos trois souhaits, nous pouvons bien nous demander ce que nous voulons dire. Notre honnêteté ne doit cependant pas être mise en doute : nos valeurs ne sont tout simplement pas ce que nous croyions.

Si notre mariage était au nombre de nos souhaits, pour quelle raison l'avons-nous mentionné? Un mouvement de mécontentement ou de colère? Peut-être nous sentons-nous mal compris? Notre conjoint s'intéresse trop à la bouteille, ou s'occupe trop des enfants; nous aimerions mener une vie plus agréable? Nul ne cherche à contester la légitimité de ce souhait, mais on cherche alors à supprimer quelque chose plutôt qu'à apporter quelque chose. En outre, cela suppose un changement de la part de l'autre.

L'un de nos souhaits tourne probablement tout simplement autour d'un bon mariage. Voilà qui est bien, mais qu'entendons-nous par un bon mariage? Cela pourrait être une autre façon d'attendre un changement de la part du conjoint. En effet, ce que nous sous-entendons par là est que, si l'autre nous écoutait davantage, s'il nous parlait davantage ou participait davantage à nos activités, notre mariage irait mieux.

Étant donné que nos souhaits révèlent nos valeurs, nous devons soumettre ces dernières à une révision. Ensuite nous pourrons nous y consacrer — seul ou avec notre conjoint — afin d'obtenir les valeurs que nous désirons réellement. Nous pourrons ainsi découvrir ce qui se cache derrière quelques-unes de nos frustrations et notre manque de compréhension, et examiner comment nous pouvons enrichir notre vie conjugale au long de nos journées.

Parlez-vous souvent de
vos valeurs respectives
avec votre conjoint?

Votre réponse:

S'il est important pour nous de découvrir nos propres valeurs et de ne pas nous contenter de croire que nous les connaissons, nous devons également découvrir les valeurs de notre conjoint car elles ne nous sont pas connues d'emblée.

Il se peut que quelque chose nous paraisse tellement important que l'idée que notre conjoint puisse avoir une autre priorité ne nous effleure même pas. Ainsi, pourvoir aux besoins de sa famille peut apparaître à un mari comme l'objectif principal de sa vie. Toute son attention est centrée sur la bonne exécution de son travail. À ses yeux, rien ne peut avoir plus d'importance et il s'imagine que sa femme partage sa préoccupation. Il prend pour acquis qu'elle comprend la nécessité de certaines de ses décisions relatives au temps qu'il passe en dehors de la maison et à l'énergie qu'il consacre à son travail. Il ne lui viendrait pas à l'esprit qu'elle puisse accorder la priorité à une autre valeur. Mais pour elle sa présence à la maison est peut-être plus importante, pas seulement sa présence physique, mais l'attention qu'il accorde réellement aux enfants et à elle-même. Ce qu'il apporte ou assure est moins important pour elle.

Elle peut également être fermement convaincue de l'importance de ne pas rester au même niveau au plan de la personnalité. Cela est si clair dans son esprit qu'elle est sûre que tout le monde l'approuve. Elle pense que son mari partage sa façon de voir et qu'il consentira à toutes sortes de sacrifices. Mais il n'est pas de son avis. Quand elle parle de participation dans les affaires communautaires, ou d'un travail extérieur qui lui permettrait de satisfaire sa propre personnalité, il entend les mots, mais ne les prend pas au sérieux. Il ne peut simplement pas croire qu'il s'agit là de la préoccupation principale de sa femme.

Il y aura certainement de sérieux malentendus dans le couple: non pas que l'un ait raison et l'autre tort, mais parce qu'ils ne connaissent ni ne comprennent tout simplement pas leurs valeurs respectives.

Il arrive que l'un des conjoints ait une bonne connaissance des valeurs de l'autre, mais que ses propres valeurs soient si fortes et claires à ses yeux qu'il n'a nulle intention de les adapter à celles de son conjoint. Ce qui se passe alors entre eux n'est pas de la communication mais une simple déclaration, et cela sans aucune mauvaise intention. L'intéressé dit: « Voilà comme je suis et voilà comme je veux être. »

Nous nous trouvons dans une telle situation, parce que nous sommes si bien installés dans nos valeurs que nous sommes persuadés qu'elles sont absolument évidentes. Nous présumons que celles de notre conjoint sont identiques. Si tu ne partages pas mes vues, je peux me dire: « C'est dur, mais tu dois apprendre à vivre avec mes valeurs tout comme je dois apprendre à vivre avec les tiennes. »

En réalité, nous plaçons d'autres valeurs au-dessus de nos relations. Nous faisons dépendre nos relations d'autres choses. Nous devrions plutôt faire en sorte que la plus importante valeur de notre vie soit une relation profonde avec l'être aimé.

Lorsque nous ajustons nos façons de voir, notre plus grande ambition sera de nous aimer l'un l'autre, de bien nous connaître, de nous comprendre et d'être réceptif l'un à l'autre. Nous ferons dépendre toutes nos autres valeurs de celle de nos relations.

Tes fiertés sont aussi mes fiertés

Combien chacun de vous apprécie-t-il les valeurs de l'autre ?

Votre réponse :

De bonnes relations entre époux présupposent une haute estime l'un pour l'autre. Plus nos relations seront bonnes, plus notre appréciation sera complète.

Si j'essaie d'ajuster tes valeurs aux miennes au lieu d'accepter que tu possèdes des valeurs significatives pour toi, cela n'aide pas nos relations. Nous devons être ouvert à la pensée de l'autre, non seulement pour examiner ses valeurs et voir si elles heurtent ou non notre façon de vivre, mais plutôt pour reconnaître à notre partenaire le droit d'avoir ses propres valeurs et mieux apprécier le privilège que nous avons d'y être associé. Peu de gens estiment un mari qui considère que l'argent qu'il gagne lui appartient, même s'il est généreux et donne à sa femme tout ce qu'elle demande. De même, on ne donne pas raison à la femme qui considère les enfants comme étant les « siens ».

Nous ne pouvons apprécier les valeurs de la personne que nous aimons que lorsque nous percevons et expérimentons ses principes et ses ambitions comme elle le fait elle-même. Nous devons approcher les valeurs de l'autre, non pas pour les évaluer objectivement et voir si nous les aimons ou non, mais pour les sentir de la même manière que le fait notre conjoint.

Nous n'avons pas à renoncer à nos propres valeurs. Ce n'est pas une question de soustraction mais d'addition ! Nous devons accepter les valeurs de l'autre en les jugeant précieuses et réelles.

Je connais une famille où surgissaient des tensions à propos des enfants chaque fois que les parents sortaient avec eux ou recevaient de la visite. Charles voulait que les enfants aient de bonnes manières et soient bien habillés. Yvonne trouvait que Charles était quelque peu collet monté. Charles en convenait mais estimait que les enfants devaient acquérir de bonnes manières.

Un jour, Charles demanda à Yvonne: « Qu'est-ce qui te fait agir comme si ça ne te faisait rien, la manière dont les enfants s'habillent ou se comportent? Je sais que tu ne veux pas qu'ils poussent comme des sauvages. » Yvonne expliqua qu'elle ne voulait pas élever ses enfants comme l'avaient fait les familles de sa génération. Elle voulait que le comportement de ses enfants soit l'expression d'une courtoisie envers les autres plutôt qu'une série de « fais ceci » et « ne fais pas cela ». Elle connaissait trop de gens parfaitement corrects, mais qui manquent d'attention aux autres. Cette courte explication les aida beaucoup. Bien sûr, restait encore le problème de pousser l'une ou l'autre approche trop loin, mais au moins ils s'étaient compris. Charles reconnut sans restriction la valeur vécue par Yvonne et elle fit de même avec la sienne.

Il ne s'agit pas pour un couple d'accepter, comme un chèque en blanc, les principes de l'autre, ou de changer d'opinion pour être d'accord avec les positions de l'autre, ou d'adopter la position de l'autre si elle est contraire à la sienne. Il s'agit plutôt d'aller au-delà des principes, de la position ou du point de vue, et d'expérimenter la valeur proposée. Un principe, une position ou un point de vue, peuvent être erronés, quelquefois même mauvais; mais une valeur n'est jamais mauvaise. Elle est toujours bonne. Elle peut ne pas être aussi bonne qu'une personne le prétend, mais une valeur est bonne en soi. La sécurité financière n'est peut-être pas aussi importante que la préservation de la vie, mais c'est une valeur positive. Être estimé de ses voisins peut nous conduire à des excès et à des compromis, mais c'est bon en soi.

Parce que nous sommes humains, nous pouvons nous laisser emporter et accorder une importance exagérée à une valeur ou à une autre. Ou bien nous pouvons laisser l'une de nos valeurs envahir notre conscience au point d'exclure toutes les autres. Néanmoins, une valeur reste une valeur. Elle est bonne en elle-même. Par conséquent, si notre conjoint possède une valeur différente de la nôtre, il ne s'agit pas de faire un choix entre le bien et le mal: il s'agit d'un choix entre deux choses bonnes.

Pour cette raison, il est important pour nous de connaître le bien que notre conjoint voit dans cette valeur. Autrement, nous ne faisons que traiter cette valeur objectivement. Nous restons en dehors et nous l'analysons. Dans des relations de couple, on est supposé être engagé l'un envers l'autre, partager l'un avec l'autre. Lorsque tu m'offres ta valeur, je ne puis pas simplement dire: je n'en veux pas, j'en ai une meilleure. La tienne est importante et valable pour toi. Je dois voir ce que tu y trouves de si bien! J'ai besoin de comprendre ce qui lui donne une importance si vitale pour toi.

Cette valeur a pu prendre racine en toi par la façon dont tu as été élevé. Il se peut que tu aies connu la pauvreté; tu te souviens d'avoir dû porter des choses usagées et d'avoir dépendu d'autrui pour la nourriture et le logement. Dans ce cas l'indépendance financière revêt évidemment une

Nos valeurs sont appelées
à grandir,
à s'approfondir
jusqu'à l'infini ...

valeur énorme pour toi. Nos décisions relatives à l'argent ne devraient pas être totalement conditionnées par l'expérience de l'un ou de l'autre de nous, mais nous devons savoir quelle valeur chacun de nous accorde à l'argent afin d'acquérir une meilleure compréhension l'un de l'autre.

Il se peut que l'un de nous ait grandi dans un foyer où la façon de vivre était tellement différente de celles des voisins que nous nous sentions isolés et rejetés. En raison de ces circonstances, nous avons un grand désir de nous entendre avec nos voisins actuels. Nous ne voulons pas que l'isolement de notre enfance se répète pour nos enfants. Notre conjoint doit le savoir.

Des expériences vécues ne devraient pas nous servir d'excuses pour agir contre des principes plus élevés et des valeurs plus pressantes. Elles doivent, au contraire, développer notre compréhension et notre capacité d'apprécier l'autre.

Cela fait partie de la réelle compréhension que nous devons avoir l'un pour l'autre pour mieux marcher la main dans la main.

Quels problèmes soulève pour vous le fait de vivre des valeurs différentes ?   *Votre réponse :*

Comme nous envisageons dans des perspectives différentes les décisions à prendre dans certains domaines, il arrive qu'à un moment donné l'un de nous dise noir et l'autre, blanc. Nos valeurs s'opposent et nous éprouvons une frustration. Lorsque nous avons les mêmes valeurs, nous sommes en harmonie. Il peut s'agir de valeurs sur lesquelles tout le monde n'est pas d'accord, mais si nous sommes tous deux d'accord sur elles, elles deviennent un lien entre nous. Nous regardons dans la même direction. Nous éprouvons un sentiment d'unité, nous tendons vers un but commun. Si nous avons des valeurs différentes dans un domaine quelconque — la maison, les enfants, l'argent ou l'Église — nous sommes en désaccord. Il y a une brèche. Il nous est difficile de sympathiser l'un avec l'autre.

Jacques veut que les enfants soient préparés à s'élever socialement, pour avoir une vie aisée. Sa femme, Sylvie, se soucie davantage du bonheur des enfants. Cela ne signifie pas que Jacques ne veut pas que les enfants soient heureux, mais il prétend que la seule façon d'y parvenir c'est d'avoir un travail convenable. Il comprend difficilement que quelqu'un puisse être heureux s'il n'a pas sa vie assurée et s'il ignore comment il vivra le lendemain. De son côté, Sylvie pense davantage au présent. Les deux ont de vraies valeurs, mais il y aura conflit chaque fois qu'ils auront à prendre une décision sur l'éducation, la discipline ou les leçons spéciales des enfants.

Un autre cas : Henri peut trouver une grande valeur dans l'assurance que Jeanne et les enfants auront de quoi vivre s'il meurt ou tombe malade. Cela figure au premier rang de ses préoccupations. Chaque fois qu'il y a une décision à prendre sur le plan financier, il est fortement soucieux d'assurer un étroit contrôle sur le budget. Il veut économiser. Il souscrit à un régime de pension. Il se représente sa femme et ses enfants dépourvus de tout, dépendants du bien-être social ou supportés par la charité de voisins ou de la famille. Ses craintes sont renforcées par des histoires de chefs de famille terrassés à un âge encore jeune. De son côté, Jeanne doit répondre à des besoins immédiats. Elle n'accorde pas à l'épargne la même importance que Henri. Pour elle, il est beaucoup plus important de vivre pleinement leur vie ensemble à présent que d'avoir beaucoup d'argent lorsqu'il sera mort. Elle considère que son but à lui réduit leur présent niveau de vie.

Il y a évidemment des conflits intérieurs reliés à ces deux valeurs. Henri et Jeanne ont chacun besoin de considérer les valeurs de l'autre, d'examiner les décisions que chacun d'eux est enclin à prendre et d'en voir les répercussions sur les valeurs de l'autre; faute de quoi, chaque fois qu'il s'agira d'argent, il y aura conflit. Ils peuvent aboutir à des compromis, mais cela ne favorise nullement leurs relations. Il est beaucoup plus important d'aller au fond des problèmes et de renforcer leur lien conjugal.

Si chacun d'eux admet les valeurs de l'autre, leurs décisions seront différentes. Lorsqu'il s'agira de décisions relatives à l'argent, chacun comprendra mieux la signification du pas proposé par l'autre. Ils seront beaucoup plus à l'aise pour prendre une nouvelle décision commune qu'ils ne l'auraient été pour n'importe laquelle de celles qu'ils voulaient adopter d'abord. En outre, il n'y a pas de soumission de l'un à l'autre. Le couple aura senti la valeur sur laquelle repose la décision commune qu'ils prennent. Jeanne fera plus facilement les sacrifices nécessaires pour mettre de l'argent de côté. Henri ne se sentira pas trahi parce qu'elle voudra passer une soirée agréable avec lui en ville.

Un autre problème se pose quand les buts sont différents: cela accentue notre individualité. Il est vrai que chacun de nous est une personne unique, mais on attend du mari et de la femme qu'ils partagent non seulement leurs biens matériels, mais également leur personnalité. Le partage ne peut se faire uniquement sur le plan physique; il doit inclure aussi le côté spirituel, un partage du corps et de l'âme. L'une des plus belles choses entre époux sont les valeurs auxquelles ils attachent du prix. C'est cela qui identifie le mieux leur état de couple. Quelle pitié, si un homme et une femme vivaient ensemble sans partager leurs valeurs. Ce qui est pire que les conflits et les luttes pour le pouvoir, ce sont les bienfaits ignorés. Que penser d'un mari qui est un grand poète, mais dont la femme n'apprécie pas la poésie? Que penser aussi d'une femme qui a un grand talent artistique, mais auquel son mari ne porte aucun intérêt? Nos valeurs sont importantes et merveilleuses, et si la personne qui nous est la plus chère ne les apprécie pas, nous nous sentons à moitié démolis.

**Y a-t-il une différence entre
les valeurs appartenant
à un mari et à sa femme
individuellement,
et des valeurs «de couple»?**

Votre réponse:

Un couple est un parfait exemple de la formule où l'ensemble est plus grand que la somme de ses parties. Nous croyons parfois que chacun apporte dans le mariage ses talents individuels, son éducation et d'autres qualités, et chacun se trouve alors un peu plus riche qu'au départ. Les époux se complètent réciproquement; il est fort dans les domaines où elle est faible, et vice-versa. Ils comptent l'un sur l'autre.

Ce n'est pas cela le mariage: ce n'est pas une simple association. Par exemple, quelqu'un qui a de l'argent mais pas beaucoup de talent s'associe avec quelqu'un qui a du talent mais pas beaucoup d'argent, et tous deux sont heureux. Ou bien quelqu'un qui est un bon vendeur s'associe à quelqu'un qui a un bon produit, et chacun renforce ainsi ses possibilités.

Le mariage n'est pas une association, c'est une union. Chacun s'y donne entièrement.

Quand le mari mène sa vie propre et la femme, la sienne, même si les deux s'entendent très bien, nous avons une situation de cohabitation, mais non pas de mariage. Ce sont comme des célibataires mariés!

Dans trop de cas, aussi bien le mari que la femme a sa propre façon d'agir, et chacun le fait tant qu'il n'y a pas d'affrontement entre eux. Cela semble facile. Il y a moins de frictions et de conflits. C'est vrai. Mais il y a aussi moins d'unité. Si nous voulons être unis, il faut que nous travaillions à notre unité.

Il ne s'agit pas simplement de se faire aux habitudes et

aux manies de l'autre. Nous sommes frappés de voir à quel point certains couples âgés se ressemblent. En regardant leur photo de mariage on n'aurait jamais cru qu'ils puissent se ressembler, tant leurs visages étaient différents. Ce qui est arrivé, c'est que chacun a pris de l'autre sa façon de sourire et de froncer les sourcils. S'il s'agissait d'un couple sérieux, cela se voit sur leurs visages. S'ils étaient gais, cela se voit également. Ce n'est pas seulement les plissements de l'âge qui ont produit la ressemblance physique, c'est également leur vie en commun et le fait d'avoir été influencés l'un par l'autre.

La ressemblance extérieure est le résultat de l'état d'esprit du couple au cours des années. S'il est vrai que les muscles ne peuvent pas être directement modifiés, ils sont cependant affectés par des choses qui dépendent de nous, essentiellement par les décisions que nous prenons quant au genre de couple que nous voulons être. De la même façon se réalise aussi une conformité intérieure.

Notre état de couple comprend l'acceptation par chacun des valeurs de l'autre. Rien ne peut apporter à un couple une joie et un accomplissement plus grands que de voir qu'ils en arrivent à se comporter peu à peu en accord avec les buts, les idéaux et les vues de l'être aimé. C'est un bonheur que de savoir que quelqu'un pense comme nous et qu'il envisage les choses comme nous.

L'une des beautés de l'amitié entre humains, comme nous disent les chansons et les poèmes, c'est qu'un ami est un autre soi-même. Lorsque mon ami est présent, je le suis moi-même. Étant sur la même longueur d'onde, nous pouvons parler l'un pour l'autre. Nous partageons nos rêves et nos vies sont des vies intégrées.

Si cela est vrai en ce qui concerne l'amitié, combien plus vrai encore cela est-il en ce qui concerne le mariage! Cependant, si nous laissons faire le hasard, il se peut que cet idéal ne se réalise pas. Nous devons le vouloir. Nous devons avoir une telle confiance l'un dans l'autre, être si ouverts et réciproquement si réceptifs, que cette unité interne se fera graduellement et merveilleusement.

LES CRITIQUES

*Nul ne connaît mieux
que votre conjoint
vos points forts et vos points faibles...*

Qu'est-ce que critiquer ?   *Votre réponse :*

Qu'est-ce qu'une critique ? Si tu te trompes en alignant une colonne de chiffres, ou si tu dis que nous devons aller chez grand-mère mercredi alors qu'elle nous attend jeudi, et que je te le dis, cela s'appelle corriger des faits. Ce n'est pas de la critique. Cependant, si j'attribue une motivation négative à ton erreur, je fais une critique.

Nous ne nous contentons pas toujours de faire remarquer une inexactitude. Nous allons plus loin et nous l'attribuons à un défaut de caractère. Je ne dis pas seulement que tu as oublié le rendez-vous que nous avions projeté, j'ajoute: «Tu ne fais jamais attention aux choses qui sont importantes pour moi.» Il se peut que tu n'aies pas repassé une chemise et je te traite alors de «M.L.F.[1]». Tu peux rappeler que mon oncle Georges n'aime pas qu'on l'appelle «Jojo»; mais c'est tout autre chose de dire que tu l'appelles «Jojo» parce que tu n'aimes pas ma famille. Je devrais pouvoir te dire que, selon moi, tu as pris une mauvaise décision, mais faut-il ajouter qu'elle est mauvaise parce que tu manques de bon sens?

Nous acceptons tous le fait que nous faisons des erreurs, mais si une erreur est attribuée à un défaut de caractère ou à un manque de personnalité, il s'agit d'une attaque personnelle et humiliante.

Si nous supposons qu'une personne fait quelque chose tout exprès pour nous contrarier ou pour toute autre raison négative, nous lui prêtons les pires motifs. Et nous avons tort.

Nous pouvons ne pas être d'accord avec les positions ou les décisions de l'autre, sans le critiquer pour autant. Des désaccords se produisent même dans un bon ménage. Mais nous ne pouvons pas attribuer à un défaut de caractère ou de personnalité la position ou la décision de notre conjoint, sans que nos commentaires ne deviennent des critiques. Après tout, notre jugement pourrait être erroné. Dans beaucoup de cas, ce que nous pouvons juger comme une erreur est fondé sur les meilleures intentions du monde, ou même sur une belle qualité. Je connais une jeune femme, Colette, très dévouée à sa mère, à qui elle porte une très grande affection. Il ne s'agit pas d'une mentalité de petite fille ou d'une personnalité dépendante. Ce dévouement envers sa mère l'a cependant conduite à faire une erreur de jugement en ce qui concerne le temps qu'elle devrait lui consacrer. Le mari de Colette est prêt à fournir un bon travail en échange d'un salaire honnête et il désire obtenir de l'avancement pour le bien de sa famille. Cela l'a conduit à faire une erreur de jugement, en ce qui concerne la quan-

---

[1] Mouvement de Libération de la Femme.

tité de travail à fournir pour satisfaire son patron.

Même si Colette consacre trop de temps à sa mère, et même si son mari met un peu trop l'accent sur son travail, la critique n'est pas le meilleur moyen de résoudre les problèmes. Le fait de critiquer engendre des heurts et nous empêche d'être ouverts et honnêtes dans notre communication l'un avec l'autre. Nous avons du mal à comprendre l'autre. Cela peut nous pousser encore plus à faire triompher notre point de vue et à affirmer que nous avons raison. Cela nous empêche d'aimer d'une façon profonde et généreuse.

Critiquer affecte également notre moral, en nous faisant perdre l'appréciation de notre propre bonté et de notre valeur. Il diminue la confiance que nous avons en nous-mêmes.

Nous croyons que notre conjoint nous connaît mieux que n'importe qui et nous sommes sûrs qu'il nous aime vraiment. Ainsi, lorsqu'il nous dit quelque chose de négatif — que nous sommes paresseux, égoïstes ou indifférents, que nous n'avons pas de jugement ou de sens de l'humour — nous l'acceptons comme un trait de notre caractère et de notre personnalité. Et c'est probablement la pire chose concernant la critique : elle est acceptée ! Nous en faisons une part de notre propre évaluation. Nous reconnaissons que notre conjoint a raison dans l'analyse qu'il fait de nous. Bien sûr, nous avons tous des défauts et, si notre conjoint nous attribue un certain genre de conduite, nous commençons à le découvrir en nous-mêmes. Un jour un grand philosophe a dit : « Je suis ce que je pense. » Dans le cas de la critique cela devient : je suis ce que *tu* penses. Le fait d'être critiqués crée en nous un sentiment d'échec personnel. Nous devenons très conscients de ce que nous faisons de mal et nous voyons comme un idéal nos capacités positives. Si une équipe joue avec un entraîneur qui les harcèle tout le temps, qui leur fait constamment remarquer leurs erreurs, elle joue avec précaution. Les joueurs concentrent leur attention à ne pas faire d'erreur plutôt qu'à gagner la partie. Ils ne risquent pas le grand jeu. Au lieu de se laisser absorber par le jeu et de jouer au mieux de leurs possibilités, ils se concentrent sur eux-mêmes. Ils calculent chaque mouvement, gardant un œil sur le banc pour savoir ce que pense l'entraîneur.

La même chose peut se produire dans les relations d'un couple. Lorsque l'un critique constamment l'autre, celui-ci pense: « Que va-t-il dire encore? » « Comment va-t-elle prendre cela? » La spontanéité et la joie sont alors exclues des relations. Nous ne pouvons pas être nous-mêmes. Nous pourrons diminuer le nombre de nos erreurs, mais, dans notre désir de bien faire, nous devenons ennuyants et hargneux. Nous définissons un bon compagnon en termes de ce que nous ne faisons pas plutôt que d'après notre propre potentiel. Un mari dit: « Je ne lui donne pas de raisons de se plaindre de quoi que ce soit. » De son côté, la femme dit: « Il n'a aucune raison de m'en vouloir. » Comme il vaudrait mieux qu'un mari puisse dire: « Je ne fais pas tout comme il faut, mais elle sait que je l'aide afin que nous ayons davantage de temps pour nous. » Et si une femme pouvait dire: « Je ne suis pas parfaite, mais il sait que mon plus grand bonheur c'est de lui plaire! »

Que critiquez-vous chez votre conjoint?

Votre réponse:

Lorsque nous critiquons la personne que nous aimons, cela a généralement trait à un domaine que nous considérons comme une faiblesse ou un échec. Il peut s'agir d'un trait de personnalité ou de caractère que nous n'aimons pas. Ce qui ne veut pas dire qu'il soit mauvais!

Il est assez intéressant de constater que ce que nous considérons comme une faiblesse chez notre conjoint peut émaner de sa plus grande vertu. Par exemple, Maggy peut se méfier des décisions de Paul car elle a le sentiment qu'il laisse son cœur dominer sa raison. Mais Paul est réfléchi et c'est l'une des raisons pour lesquelles Maggy s'est mariée avec lui. Paul, de son côté, considère que Maggy est trop insensible et trop rude dans sa manière d'être avec les autres. Mais Maggy est sûre d'elle-même et responsable, qualités qui avaient précisément attiré Paul vers elle.

Nous critiquons aussi notre conjoint pour nos propres défauts. Nous le faisons parce que nous nous trouvons alors moins mauvais. Nous avons l'impression que, même si nous faisons les mêmes choses, l'autre est pire. Je lui dis, avec dédain: «Tu fais moins attention que moi quand il s'agit d'argent»; ou «Tu es plus sévère que moi envers les enfants».

Par ailleurs, nous avons peut-être conscience de nos propres faiblesses et attendons que notre conjoint soit ce que nous ne sommes pas. Une femme peut critiquer son mari de ne pas lui avoir rappelé un certain rendez-vous. Elle peut dire: «Tu sais que j'oublie ces choses-là. Tu dois me les rappeler. Pourquoi ne l'as-tu pas fait?» Un mari qui a un tempérament emporté peut attendre de sa femme qu'elle le calme lorsqu'il éclate. Une femme peut trouver difficile de défendre ses droits et principes, et attend de son mari qu'il le fasse pour elle. S'il ne le fait pas, elle le critique.

Derrière notre critique peut se cacher un souci d'équilibre: «Tu m'as critiqué, je me sens donc parfaitement libre de te critiquer à mon tour. En fait, j'ai envie de le faire car je ne veux pas être celui qui doit toujours encaisser. Je veux rétablir l'égalité.» Lorsqu'il est question de critiqueurs, nous ne nous sentons probablement pas concernés, — nous ne sentons pas que nous aussi nous critiquons. Nous pensons, probablement à la manière plutôt qu'à la substance, estimant que nous ne sommes ni rudes ni mauvais, que nous parlons doucement et avons de belles manières. Mais, en faisant des suppositions négatives, nous critiquons encore!

Du fait que la critique est tellement répandue dans notre société, nous pouvons y avoir recours moins que beaucoup d'autres, tout en le faisant encore beaucoup! Nous critiquons peut-être rarement nos voisins, nos amis ou même nos associés, tout en critiquant beaucoup nos

C'est quand tu me dis ça
devant les autres,
que ça me fait le plus mal.

proches. Il nous semble plus facile d'avoir de la compréhension pour d'autres que pour la personne que nous aimons. Cela provient de nos contacts constants avec elle, ce qui nous donne davantage l'occasion de critiquer. Nous sommes également affectés davantage par nos faiblesses réciproques. Il nous est beaucoup plus facile de nous accommoder des défauts de ceux que nous ne voyons pas souvent ou qui ne nous touchent pas autant.

Il y a pourtant quelque chose de plus. Nous attendons de notre conjoint qu'il accepte notre critique, alors qu'un employé, un ami ou un voisin ne la toléreraient pas. Ils demanderaient: « De quel droit me critiquez-vous? » Par ailleurs, dans un couple, chacun admet que l'autre en a le droit. Nous pensons que, plus grande est l'intimité, plus nous avons le droit de nous critiquer l'un l'autre. Voilà un triste commentaire d'une relation conjugale. Changeons cela!

Qu'est-ce qui vous incite à critiquer ?

Votre réponse :

Toutes sortes de situations donnent lieu à des critiques: nous avons été dérangés, remis en place, contrariés par quelque chose, nous nous sentons négligés, ou nous subissons une pression. Lorsque François est pressé de prendre le train et trouve le réservoir de sa voiture vide, il reproche à Louise son égoïsme. Ou bien Louise est gênée par la façon dont François parle dans des soirées, et elle lui fait comprendre qu'il manque de tact.

Notre attitude critique peut venir de notre déception dans le mariage. Nous avions notre idée de ce qu'un mari ou une femme devrait être. Après le mariage, nous constatons que notre rêve ne s'est pas entièrement réalisé. Au lieu d'oublier le rêve et d'accepter l'autre tel qu'il est, nous avons tendance à renoncer à la personne réelle et à rêvasser, en essayant de faire correspondre l'autre à notre attente. Souvent un homme demande à sa femme de faire la cuisine comme la faisait sa mère, ou comme il pense qu'elle la faisait. Ou bien il se rappelle comment sa mère le réveillait le matin, ou avec quel soin elle rangeait toujours son linge et avait toujours un «en-cas» prêt pour lui. Son imagination est pleine des rôles que devrait jouer une femme, et, lorsqu'il découvre que sa femme a d'autres talents ou qu'elle assigne à leur relation d'autres buts, il a tendance à croire qu'il ne compte plus et qu'il a été dupé. Il joue le rôle du garçon gentil, s'accommodant des imperfections de sa femme, mais il fait en sorte qu'elle s'en rende compte.

Une femme peut très bien savoir que son futur mari ne partage pas tous ses rêves, ou ne les trouve même pas particulièrement séduisants, mais elle s'imagine que, lorsqu'ils seront mariés, il les adoptera par amour pour elle. Elle fera en sorte qu'il change. Quand elle constate sa négligence et son désordre, et qu'elle se rend compte combien il l'aide peu et attend d'elle seule que la maison soit parfaitement bien tenue, quand elle constate qu'il ne recherche pas particulièrement sa conversation et qu'il adopte l'attitude de la plupart des maris : téléspectateurs assidus ou fanatiques du sport — ou encore qu'il se laisse trop absorber par son travail, elle pense avoir parfaitement le droit de se plaindre. Elle croit que, pour obtenir des changements, elle doit lui faire connaître ce qu'elle lui reproche.

Nous critiquons également quand nous voulons que l'autre fasse ou ne fasse pas quelque chose. Par exemple, Hélène dit à Marc, son mari, combien elle apprécierait qu'ils se détendent ensemble, le soir, en se parlant. Elle lui explique qu'elle n'a pas seulement besoin de son soutien matériel, mais également de son soutien moral. Pendant quelques jours Marc fait un effort, mais il reprend vite sa vieille habitude d'aller bricoler au sous-sol après le souper. Hélène lui adresse alors des remarques aigres-douces, l'accusant d'être marié à son travail. Mais ce qu'elle dit, en réalité, c'est qu'elle doute que l'amour de Marc réponde au sien. Elle pense qu'au lieu de continuer à discuter, elle doit l'amener à changer.

Au début de leur mariage, deux êtres doivent apprendre à vivre ensemble. Ils n'ont aucune expérience de la vie de couple : chacun a l'habitude de faire les choses à sa façon et on change difficilement ses habitudes. Notre attitude dit : « Je ne veux pas être patient, je ne veux pas développer notre unité. » Nous nous croyons obligés d'amener l'autre à adopter notre façon de voir. Cela fait mal, donc nous critiquons. Et, si nos attaques et nos remarques n'amènent aucun changement, nous nous sentons du moins libérés de nos frustrations et avons l'impression d'avoir un peu rendu à l'autre la monnaie de sa pièce, puisqu'il n'a pas su nous plaire.

Il est possible que Marc, le mari dont nous venons de parler, nous fasse part de son impression de trouver une maison tout en désordre en rentrant le soir. Hélène fait un effort pendant un certain temps, mais bientôt le désordre reprend le dessus. Ayant vainement essayé de le lui faire comprendre d'une manière gentille, Marc décide d'y aller plus carrément et lui dit combien il la trouve peu soigneuse et désordonnée, qu'il travaille fort et qu'il a le droit de trouver une maison propre et accueillante à son retour. Il veut qu'elle se sente coupable. Elle commence alors à appréhender ses retours.

La critique est basée sur la conviction que, dans un mariage, chacun a des droits; si ces droits ne sont pas respectés, la critique devient alors non seulement un privilège mais même une responsabilité. Nous considérons alors le mariage comme une « mise en forme » au lieu d'une affaire de cœur. Nous en faisons un contrat dans lequel chaque partie doit respecter des engagements. Il ne s'agit alors plus d'une relation de réceptivité réciproque dans laquelle chacun cherche à surpasser l'autre dans le don de soi.

Un mariage basé sur la critique mène au « rétrécissement »: en effet, chacun n'y apporte que le strict minimum tout en essayant de retirer le maximum de l'autre.

Il existe d'autres genres de critiques, l'un d'eux consistant à tout attribuer à un défaut de caractère. À l'opposé, se trouve le genre « dispersion » dans lequel chaque « faute » est attribuée à une faiblesse différente. Un autre genre encore consiste à mettre toutes vos fautes sur le compte de votre sexe, que vous soyez homme ou femme. Nous ne pouvons évidemment pas changer de sexe à notre fantaisie, et il ne nous est pas possible de nier notre physique. Mais, après quelques années de ce genre de critiques, nous en arrivons à croire qu'il y a quelque chose de fondamentalement mauvais à être un homme ou une femme. Nous avons l'impression d'avoir des caractéristiques innées qui nous empêchent de plaire à notre conjoint.

Parce que, une fois pour toutes, nous nous sommes faits une idée de ce que sont les hommes et les femmes, nous attribuons ces caractéristiques à notre conjoint, même si aucun indice ne le confirme. Hélène peut avoir fait une erreur dans le livre de comptes parce qu'elle a été dérangée par le téléphone ou parce qu'elle se dépêchait d'aller prendre Marc à la gare, ou tout simplement parce qu'elle a fait une faute. Mais Marc soutient qu'elle s'est trompée parce que les femmes ne sont pas de bons comptables. Hélène ne pourra jamais tenir les comptes à la satisfaction de Marc : il trouvera toujours quelque chose à redire, car il est convaincu qu'une femme est incapable de faire la tenue de livres.

Hélène dira peut-être à Marc qu'il ne la comprend pas parce qu'il est un homme. Découragé, il laissera tout tomber : malgré tous les efforts qu'il fait pour se rapprocher d'elle, elle est convaincue que les hommes ne peuvent tout simplement pas comprendre.

Vos critiques sont-elles constructives ?

Votre réponse :

Une critique est constructive quand elle est adressée à quelqu'un de cher à qui nous voulons du bien. Lorsque nous faisons ce genre de critique à notre conjoint, c'est avec l'intention de l'aider à vivre au mieux de ses responsabilités ou de le voir considéré par les autres.

La critique constructive demande de la douceur et de la compréhension. L'amertume et l'hostilité en sont exclues. Cependant, nous ne respectons pas toujours nos premières intentions, car ce que nous appelons de la critique constructive n'est souvent qu'un masque nous permettant de donner libre cours à nos frustrations ou d'humilier l'autre. Cette forme négative de critique « constructive » permet d'éviter quelques-unes des formes les plus grossières de la critique destructive, mais elle comprend les mêmes éléments de supériorité, de jugement sur autrui et d'écrasement de l'autre. En effet, lorsque nous faisons de la critique constructive, souvent nous ne nous contentons pas de relever une faute, mais nous l'attribuons à un manquement personnel.

Nous disons : « Tu sais, chéri, je te le dis pour ton bien :

tu es terriblement égocentrique. » Ou nous disons avec un sourire condescendant : « Tu es si bon; en réalité tu es même trop bon pour ce monde. » « Tu es si naïf, les gens profitent de toi; alors laisse-moi prendre les décisions. » Ou bien : « Je sais que tu es très intelligent et que tu possèdes toutes sortes de dons, mais tu as si peu de goût pour choisir des amis! Pourquoi ne me laisserais-tu pas m'occuper de notre vie sociale? » Ou encore : « Tu es un trésor, mais tu te conduis comme un chien dans un jeu de quilles et tu incommodes toujours les gens quand tu parles. Pourquoi n'apprends-tu pas à te calmer? »

Voilà de quoi démolir le moral de quelqu'un. L'effet de ces déclarations est aussi dévastateur que celui d'une vulgaire critique. Parfois même, le mal est plus grand quand cela est dit « gentiment » : en effet, quand la critique est vive, nous essayons de la mettre sur le compte de l'exagération ou de l'humiliation de l'autre. Quand elle est « constructive », nous la considérons comme une réalité. Ce qu'il y a de pire dans une situation de critique constructive à l'intérieur d'une relation conjugale, c'est que le critiqueur se situe en dehors de cette relation. Il considère l'autre avec condescendance, l'évalue et essaie de lui apprendre à s'améliorer en tant qu'individu et en tant qu'époux ou épouse.

Le résultat en est que chacun découvre des domaines où il se considère supérieur à l'autre. Chacun se place dans une position d'enseignant. Tous deux considèrent cela comme faisant partie de leur responsabilité en tant que mari ou femme. Curieuse façon de s'aimer, n'est-ce pas? En tant que conjoint, notre rôle n'est nullement de faire cadrer l'autre avec quoi que ce soit : notre vocation est de l'aimer tel qu'il est.

Une petite taquinerie ça dit parfois de grosses vérités

**Sous quel aspect
plus ou moins plaisant
la critique
se présente-t-elle souvent ?**

Votre réponse :

Tout le monde critique, mais personne ne veut être accusé de le faire. Donc, pour être bien sûrs qu'on ne nous reprochera pas ce fait, nous enrobons souvent nos attaques de taquineries. Tout en plaisantant et riant beaucoup, nous relevons une particularité de notre conjoint, qui aura vite saisi l'allusion à un défaut. Si cela le contrarie, nous disons: «Qu'est-ce qui te prend? Tu ne comprends plus la plaisanterie?» Nous avons gagné sur les deux fronts à la fois: nous avons fait passer notre message et, en même temps, nous avons obtenu que l'autre se sente coupable d'avoir pris la mouche. En fait, nous voulons que notre critique soit prise au sérieux, mais nous la présentons sous le couvert d'une blague.

Voilà qui est vraiment mesquin et terriblement frustrant, surtout si nous avons souvent recours à ce genre de procédé. L'autre ne sait jamais où il en est avec nous.

Jusqu'à quel point les autres influencent-ils vos critiques?   *Votre réponse:*

Il est fort probable que des personnes de notre entourage accentuent notre tendance à critiquer notre conjoint. Même notre propre famille ne manque pas de nous supporter dans nos plaintes. Elle nous encourage à faire le point avec notre conjoint, sans admettre que nous cédions sur quoi que ce soit. En outre, en nous faisant part de ce qu'elles attendent d'un mari ou d'une femme, d'autres personnes apportent de l'eau au moulin de nos critiques. Elles diront sans doute des choses aussi anodines que: «Eh bien, tu sais qu'il y a longtemps que je te dis qu'on ne peut pas trop lui faire confiance»; ou bien: «Je t'avais prévenu avant que tu ne l'épouses, qu'elle ne pensait qu'à elle.»

Notre tendance naturelle à critiquer se trouve ainsi renforcée à chaque occasion et nous surveillons notre conjoint d'un peu plus près, dans l'espoir d'y découvrir certains signes que nous attendons.

Certains articles de revues et des livres populaires de psychologie sur le mariage sont tout aussi dévastateurs. Les questionnaires du genre: «Évaluez votre mariage» nous donnent un sentiment d'insécurité. Ils nous font prendre conscience de toutes sortes d'insatisfactions auxquelles nous n'aurions jamais pensé. Et celles de nos connaissances qui semblent avoir le plus à dire sur le mariage sont souvent celles qui ont le moins bien réussi le leur! Les soi-disant «experts» sont donc tout à fait cyniques.

Ces personnes ne sont cependant pas les seules à être blâmées. Que leur disons-nous en premier? Une femme ne vante généralement pas à sa voisine l'extraordinaire faculté qu'a son mari de l'écouter, ni combien elle l'apprécie. Non, mais il suffit d'une mauvaise expérience pour qu'elle aille trouver cette même voisine et lui dise: «Mon mari ne m'écoute pas. Que puis-je faire pour qu'il m'écoute?» De son côté, un mari ne vantera pas auprès de ses collègues la tendresse de sa femme, son aptitude à le laisser s'exprimer, à comprendre ses tensions, et son souci de ne pas l'accabler avec les difficultés de sa propre journée. Il ne demande généralement pas comment lui exprimer son admiration pour sa bonté et son amour. Non, mais il trouvera moyen de se plaindre de sa tendance à trop parler, en ajoutant qu'elle ne comprend rien au besoin d'un homme de trouver un peu de paix à la maison.

Nous agissons ainsi pour obtenir l'appui des autres. Nous voulons qu'ils nous approuvent et nous soutiennent dans notre critique de notre conjoint. Nous ne recherchons pas leur aide pour reconnaître et apprécier ses qualités car nous pensons y arriver seul. Tout est bien alors; pour nous bien sûr! Et pour notre conjoint? Une marque d'appréciation ne serait-elle pas souhaitable ou nécessaire?

Dans le domaine de la critique et de l'appréciation, il serait bon que nous consultions les autres pour apprendre à exprimer notre satisfaction. Nous n'avons besoin d'aucune aide pour détruire notre compagnon car nous savons fort bien nous y prendre. Mais nous avons besoin de conseils et de clairvoyance pour savoir comment manifester notre appréciation à l'être aimé.

De quelles façons votre conjoint vous connaît-il mieux que quiconque?

Votre réponse:

Après deux, cinq ou vingt-cinq ans de mariage, il est évident que notre conjoint nous connaît mieux que quiconque. Nous avons beaucoup d'expériences communes et de secrets aussi. Nous sentons d'instinct ce qui plaît à l'autre ou lui déplaît, et savons d'avance comment il réagira dans certaines circonstances. Chacun de nous connaît les signes qui révèlent chez l'autre la fatigue, la colère, la contrariété ou l'ennui, signes qui passent inaperçus pour les autres.

Nous connaissons également nos tempéraments, nos faiblesses et nos manquements respectifs. Au cours des années, nous sommes devenus très conscients des choses qui agacent notre conjoint. Mieux que quiconque, nous sommes à même de nommer tous nos défauts de caractère et de personnalité. Nous pourrions donner des exemples, que nous prenons bien soin de dissimuler à nos amis.

Un mari considère ses défauts, s'attend au mécontentement de sa femme et dit: « Elle est formidable! Elle connaît mes pires côtés et m'aime malgré tout. » Une femme constate ce qu'il y a de plus mauvais en elle et dit: « Quel homme merveilleux! Il m'accepte avec tous mes défauts. » Pas si vite! Tenons-nous vraiment à ce qu'on connaisse nos imperfections? Était-ce ce « moi » que nous désirions révéler à l'autre lorsque nous nous sommes rencontrés pour la première fois et avons commencé à sortir ensemble, puis lorsque nous nous sommes mariés? Recherchons-nous vraiment quelqu'un qui puisse découvrir notre côté le moins beau mais accepte de nous épouser malgré tout? Souhaitons-nous vraiment trouver quelqu'un qui découvre ce que nous avons de déplaisant mais nous demande tout de même en mariage? Pas du tout! Ce qui nous a précisément le plus attiré chez l'autre c'était sa façon de nous apprécier et de nous mettre en valeur, et sa façon de déceler — peut-être mieux que nous ne l'avions fait nous-même — les bons aspects de notre personnalité.

Cette valeur personnelle que nous avions lors de notre première rencontre, nous l'avons encore. Nous la possédons même à un degré plus élevé car, au cours de nos années de vie commune, nous avons établi des habitudes bonnes et valorisantes. Au début de notre mariage, nous parlions de notre compréhension mutuelle, des rêves et ambitions de chacun de nous; nous nous rendions compte alors que nous n'étions pas si négligents ni si «indépendants» que notre famille ou les amis le prétendaient. Nous étions reconnaissants l'un envers l'autre de nous trouver merveilleux. Mais il nous semble maintenant que notre conjoint connaisse davantage nos défauts que nos qualités. Pourquoi?

La raison de ce changement radical se trouve dans notre tendance à la critique.

Suzanne et Pierre, deux de mes bons amis, se considéraient comme un couple très chanceux: ils pouvaient tout se dire. Si Pierre exprimait à Suzanne qu'elle passait trop de temps avec les enfants et le négligeait, les choses s'amélioraient d'une façon assez durable. Si Suzanne disait à Pierre qu'il passait trop de temps à la télévision, il délaissait ses programmes pendant un certain temps. Tous les aspects de leur vie, la tendance de Pierre à boire un peu trop lors d'une veillée, la façon dont Suzanne traitait sa belle-mère, tout était pris en considération et suivi de changement.

Ils s'étaient beaucoup améliorés depuis le début de leur mariage. Leurs querelles étaient moins nombreuses et moins violentes, mais quelque chose n'existait plus entre eux. Finalement, il découvrirent l'accroc: ils étaient très explicites sur ce qu'ils n'aimaient pas chez l'autre, mais prenaient pour acquis ce qu'ils aimaient. Il y avait moins de tendresse qu'au début et certainement pas autant qu'ils le souhaitaient. Pierre supposait que Suzanne était contente de lui quand elle ne se plaignait pas et, de son côté, Suzanne supposait que Pierre était satisfait quand il ne lui

A la longue
je suis
ce que tu penses de moi...

adressait pas de reproches.

Ils décidèrent de se mettre à parler de leurs aspects positifs et de se complimenter réciproquement pour leurs bonnes choses. Suzanne découvrit ainsi que Pierre était non seulement un gars honnête, mais qu'il était foncièrement bon. Pierre se rendit compte que Suzanne faisait non seulement tout son possible pour éviter de faire quoi que ce soit qui pût le contrarier, mais qu'elle faisait tout en son possible pour lui plaire. Ils reconnurent que lorsqu'ils s'étaient rencontrés ils avaient immédiatement senti leurs qualités réciproques et écarté leurs travers. Le fait qu'ils aient inversé cette façon de voir avait miné leur mariage. Le retour à une attitude positive redonna à ce couple sa vitalité originale et même la fit grandir.

N'est-il pas vrai que durant vos fréquentations et vos fiançailles vous ne vous critiquiez guère? Au contraire, vous vous admiriez l'un l'autre et donniez libre cours à l'affection qui remplissait vos cœurs. Vous ne vous préoccupiez pas de vos torts, mais bien plutôt des aspects positifs de votre vie, qui suscitaient votre admiration et votre respect l'un envers l'autre.

Il ne s'agit pas de savoir si nous nous sommes trompés dans notre analyse du caractère de l'autre, mais plutôt de savoir comment nous nous voyions alors. Je voyais le meilleur de toi, et toi, le meilleur de moi, et nous étions riches. Malheureusement, maintenant nous sommes convaincus que l'autre insiste davantage sur nos défauts. Aucun de nous ne prête beaucoup d'attention aux bons côtés qui sont considérés comme de l'acquis. Nous avons une tendance à penser que tout le monde peut connaître nos bons côtés, mais que seul un conjoint peut connaître nos mauvais aspects.

En réalité, seul l'être aimé a pu se rendre compte du degré et de la profondeur du meilleur de nous-mêmes. Et c'est envers lui que notre bonté s'est manifestée le plus souvent et de la façon la plus significative.

Quelle est la meilleure attitude envers la critique ?

Votre réponse :

Le meilleur moyen de combattre notre attitude critique est de la bannir de notre vie. Elle n'apporte absolument rien à notre auto-appréciation, ou à l'appréciation de notre conjoint, ni à la beauté de notre relation. Critiquer fait de nous des juges et nous donne une attitude de supériorité. Cela établit entre nous des relations où chacun s'efforce d'atteindre l'idéal établi par l'autre.

Le pire effet d'une attitude critique est qu'elle embrouille la faculté d'auto-analyse du conjoint, qui ne sait plus où il en est dans ses qualités et sa valeur. Elle détruit sa propre estime et l'amène à se retenir pour ne pas s'exposer à d'autres critiques. Même si la critique améliore un peu la façon d'agir de quelqu'un, elle ne guérit pas sa sensibilité profonde. Elle conduit à un repli plutôt qu'à une plus grande ouverture. La réponse est forcée et donnée à contre-cœur, au lieu d'être libre et spontanée.

Le fait de critiquer conditionne une relation: chacun s'efforce alors de façonner l'autre à son image, plutôt que de l'accepter tel qu'il est et de se réjouir de sa personnalité unique.

La critique est centrée sur moi. Je recherche ma satisfaction personnelle. Je veux que tu changes pour me plaire. Je veux que tu cadres avec les plans que j'avais faits de notre mariage.

Chose étrange, nous croyons que seule la critique peut amener un changement chez notre conjoint. Même si elle ne nous apporte que peine et froideur, nous avons l'impression que la critique poussera l'autre à changer. Alors que la plus haute motivation qui puisse l'amener à changer, c'est la prise de conscience de son amour pour nous.

Sachant cela, nous devrions y penser à deux fois avant de critiquer. Mais nous sommes profondément convaincus que, si nous ne critiquons pas, nous devrons renoncer à toute amélioration dans nos relations. En fait, nous pensons que ce qui nous déplaît nous fournit un meilleur motif de changer que ce qui nous plaît; que l'être aimé réagira mieux si nous lui disons que nous sommes malheureux avec lui, que si nous lui disons le contraire. Notre critique est le reflet de notre insécurité. En ne nous sentant pas aimé — ou pas aimant — nous pouvons agiter le fouet de la critique pour obtenir satisfaction.

La plupart d'entre nous imaginent mal l'ampleur de la critique dans leur vie. Elle nous vient si naturellement que nous en usons sans y penser. Si notre conjoint nous dit: « Tu me critiques », nous répondrons sans doute: « Mais non, je faisais simplement une remarque! » Nous ne voulons pas l'appeler critique! Ce serait une bonne chose si chacun de nous inscrivait sur un papier toutes les critiques qu'il a formulées sur l'être cher durant la dernière semaine. Ne rationnalisez pas, ne donnez pas non plus d'excuses ni d'explications. Ne laissez de côté aucun de vos commentaires, même s'il a été accepté de bon gré ou a semblé même être apprécié.

Additionnez toutes les critiques, y compris les plus subtiles et les sous-entendues (même celles que vous n'avez pas vraiment formulées), aussi bien que celles qui étaient évidentes et rudes. Tenez compte aussi de tout sourcil interrogateur ou d'une élévation de la voix, des critiques que vous estimez justifiées aussi bien que de celles où vous êtes allés trop loin. Il ne s'agit pas savoir si nous avions raison de critiquer, mais si nous avons critiqué. Si notre liste de critiques est courte, nous ferions mieux de nous examiner de plus près, car il est évident que nous ne nous rendons pas compte de la portée de nos paroles. Nous devrions peut-être demander à notre conjoint d'établir une liste pour nous, pour que nous sachions ce qui se passe. En effet, si nous ne sommes pas conscients de la fréquence et de la forme de nos critiques, nous ne pourrons jamais changer! L'étape suivante est de déclarer un moratoire sur la critique. Nous devrions prendre l'engagement de ne faire aucune critique pendant une période de trente, soixante ou quatre-vingt-dix jours. Voilà qui n'est pas facile. C'est comme d'arrêter de fumer!

Nous savons que nous aurons des faiblesses, mais nous n'y ferons aucune allusion. Nous ferons d'honnêtes et sincères efforts pour ne pas nous critiquer pendant une certaine période de temps. Nous devons être d'accord pour nous aider mutuellement, par exemple en établissant une sorte de code entre nous qui indiquerait à l'autre qu'il est en train de critiquer.

Le fait de nous soumettre à une trêve signifie bien davantage que l'arrêt de toute critique. En effet, si nous retenons momentanément nos critiques, cela peut aboutir à une véritable explosion par la suite. Mais nous devons anéantir notre esprit critique en nous concentrant sur les qualités de l'être aimé. Nous devons nous immuniser contre le poison qui couve en nous en ne voyant délibérément que le mérite et les qualités de l'autre.

Le fait de nous soumettre à une période — peu importe sa durée — de non-critique nous oblige à respecter le nombre de jours fixé. Seuls comptent les jours sans critique. Si, un jour donné, nous échappons une remarque sur notre conjoint, ce jour ne compte pas. Ainsi, je peux fort bien passer à travers le premier jour sans faire aucune critique; mais le deuxième jour je fais remarquer à ma femme qu'elle a oublié d'acheter des ampoules. Ce jour-là ne compte pas. Si je ne fais aucune critique le jour suivant en me concentrant sur tout ce qu'elle a fait pour moi, cela devient le deuxième jour. Ainsi, pour respecter une trêve de 30, 60 ou 90 jours, il peut me falloir jusqu'à 180 jours, mais chacun d'eux doit apporter une amélioration dans notre relation.

Nathalie était décidée à arrêter de critiquer son mari, Paul. Au début, elle ne remarqua pas grand changement dans leurs relations, ce qui lui rendait plus difficile cette absence de critiques. Puis un jour Paul lui dit: «Que se passe-t-il, chérie? Tu es si différente!» Quand elle le lui expliqua, il décida d'essayer aussi. C'était tout simplement merveilleux, comme un nouveau départ dans leur mariage. Toutes sortes de choses se produisirent pendant ces 90 jours. Paul souriait davantage; il rentrait à bonne heure, à

5 h 30, alors que pendant plusieurs années il n'arrivait pas avant 6 h 30 ou 7 heures! Mais c'était en Nathalie que s'était opéré le plus grand changement. Elle ne se mettait plus en colère et ne s'énervait plus. Elle adorait être la femme de Paul.

Sans la moindre hésitation, nous devrions bannir toute critique. Nous ne devons pas nous contenter d'être plus gentils, plus doux, de moins critiquer et de prendre davantage en considération les sentiments de l'autre. Nous devons incontestablement cesser de critiquer.

Que se passerait-il si vous ne critiquiez pas votre bien-aimé(e)?

Votre réponse:

Pensons-nous que, si nous ne critiquons pas notre conjoint, il finira par prendre trop de liberté, ou qu'il deviendra pire qu'il n'est déjà? Craignons-nous d'être traité de pâte molle?

Lorsque nous constatons que les critiques ne mènent nulle part, nous devrions tenter notre chance d'une autre façon. Après toutes ces années, pouvons-nous dire que notre attitude critique a été un succès? Que nous avons obtenu ce que nous voulions? Avons-nous abouti à quelque chose? Est-il devenu plus réfléchi? Est-elle devenue plus ponctuelle? Tout ce que nous avons gagné en critiquant est de pouvoir donner libre cours à certaines de nos frustrations et d'imposer une ou deux décisions. Nous obtiendrons bien davantage en renonçant pour un certain temps à cette attitude négative et critique.

Si nous ne sommes pas satisfaits des résultats obtenus par l'absence de critique, nous pouvons toujours y revenir. Si « la vie sans critique » nous paraît dénuée d'intérêt, si notre approbation de l'autre n'apporte rien, nous n'aurons pas tellement perdu l'habitude de critiquer. Notre esprit critique reviendra vite: après tout, nous y avons travaillé ferme pendant cinq, dix ou trente ans; alors le fait de l'avoir laissé dormir pendant trente à quatre-vingt-dix jours ne lui aura pas fait beaucoup de tort!

Ce que nous pouvons espérer obtenir, c'est une étincelle dans les yeux de notre conjoint au lieu d'une peine, un sourire sur ses lèvres au lieu de plis amers autour de sa bouche, un « tu le penses vraiment » dit avec surprise plutôt qu'un « je regrette » ennuyé.

L'élimination des critiques allège l'atmosphère, nous rend plus ouverts et plus sensibles et nous permet d'ap-

Déclarons un "moratoire" sur la critique ...

précier réellement et mieux que jamais la compagnie de l'autre. La promesse de ne plus critiquer apporte à l'autre la sécurité de savoir qu'on ne cherchera pas à le détruire.

Quelle merveilleuse expérience que de pouvoir être soi-même et réceptif l'un à l'autre parce que nous le voulons et non parce que nous le devons!

Je rends souvent visite à Yolande et Yves, heureux en ménage et déterminés à le rester. Ils ont fait des efforts constants durant leurs douze années de vie commune. Ils se sont toujours fait un point d'honneur d'être ouverts l'un envers l'autre. Si l'un d'eux avait quelque chose à dire, il n'hésitait pas.

Il y a quelque temps, je me demandais à haute voix devant eux si, tout en faisant tout ce qu'il convenait, ils ne passaient pas à côté de leur personnalité propre. Je savais qu'il est important de se corriger et de s'améliorer continuellement l'un par l'autre, mais il me semblait que savoir s'apprécier l'un l'autre était encore plus important.

Plus tard, Yves me dit qu'ils étaient d'accord avec moi. Ils s'étaient tellement appliqués à s'améliorer l'un l'autre, qu'ils n'avaient pas vraiment pris le temps de profiter spontanément et follement l'un de l'autre.

Alors, pendant tout un mois, ils n'ont parlé que de ce qui leur plaisait chez l'autre. Ils commencèrent à se dire combien ils appréciaient leurs qualités. C'était vraiment extraordinaire et un soir Lyne, leur fille aînée, lança cet argument irréfutable: «Comme la maison a changé! Vous n'êtes plus aussi sérieux tous les deux. C'est chouette de faire partie de cette famille!»

En changeant notre façon de penser, nous serons surpris de constater combien nous nous considérons d'une façon plus positive et combien nous trouvons de qualités et de ressources chez l'autre. Lorsque nous nous sentons approuvés, nous sommes joyeux et notre cœur est léger. Dans le cas contraire, nous sommes tristes et entêtés. Si la critique est absente de notre vie, l'amour a des chances d'y entrer. Nous avons l'occasion de développer notre bon côté et de nous réjouir de posséder des capacités que nous soupçonnions à peine en nous. À nous la détente et le bien-être! puisque nous aimons, nous pouvons vivre pleinement.

LE LANGAGE DES GESTES

*Le toucher est par excellence
le langage de la communication,
et de l'intimité.*

Dans quelle mesure   *Votre réponse:*
vous touchez-vous
l'un l'autre maintenant ?

Au cours des fréquentations, un jeune couple parle sans
cesse de la vie qu'ils mèneront après le mariage. Ils parlent
de l'endroit qu'ils habiteront, du nombre d'enfants qu'ils
souhaitent avoir, du genre de famille qui sera la leur, de
leurs craintes, des lieux qu'ils visiteront. Ils semblent
aborder tous les sujets, et la plupart du temps, ils se fon-
dent sur des hypothèses. Ils tiennent pour acquis que leur
relation et leur communication demeureront inchangées
ou qu'elles s'amélioreront après le mariage. En souhaitant

consacrer tout leur temps ensemble, ils croient qu'ils seront toujours à l'écoute l'un de l'autre avec autant d'ardeur et d'enthousiasme. Pendant les fréquentations ou au début du mariage, les partenaires se touchent constamment. Se tenir les mains devient un geste si excitant qu'ils ne pensent même pas qu'ils pourraient ne pas éprouver la même envie de le faire dans quelques années. Il aime entourer de ses mains le visage de sa bien-aimée; elle prend plaisir à caresser sa chevelure. C'est si important!

Après quelques années de mariage, pourtant, un certain changement s'opère. Quand il marche dans la rue, assiste à une fête ou passe une soirée au salon familial, un couple ne se préoccupe pas particulièrement de se toucher. Leurs mains ne sont-elles pas toujours accaparées par un journal, une cigarette, un livre ou autre chose? Ou encore ne sont-ils pas souvent assis loin l'un de l'autre, sans s'inquiéter de la distance qui les sépare? Lorsqu'ils se balladent dans la rue, ils sont plus à l'aise en gardant leurs mains dans les poches ou en les balançant tout simplement. Lorsqu'un mari rentre de son travail, peut-être offre-t-il à son épouse un baiser et une étreinte rapides, pour ensuite se plonger dans son journal. Elle est beaucoup trop occupée à préparer le repas pour désirer se faire toucher. Même si l'autre fait preuve d'affection et offre une étreinte à son conjoint, il peut recevoir pour toute réponse un geste d'impatience ou un délai significatif, lui faisant savoir que ce geste ne l'excite pas particulièrement.

Que s'est-il donc produit? Lors des fréquentations, vous étiez toujours l'un près de l'autre, dans l'auto, sur le divan, dans la cuisine ou ailleurs. Peut-être aimeriez-vous retrouver ce genre de relation — comme c'était beau! — mais vous n'abordez pas le sujet parce que vous croyez que l'autre est tout à fait satisfait de la situation actuelle. Ou encore peut-être en avez-vous parlé pour découvrir qu'il s'agit d'un point sensible, alors vous avez laissé tomber. Vous êtes peut-être satisfaits, tous les deux, d'avoir éliminé de votre vie la communication par le toucher? Ou peut-être encore n'y avez-vous pas vraiment songé, ni l'un ni l'autre? Si c'est le cas, c'est important que vous preniez note de ce changement, que vous reconnaissiez que votre communication non verbale a subi une métamorphose depuis les premières années de vos amours. Il se peut enfin que vous souhaitiez changer tout votre style de vie.

En communiquant moins par le toucher, comment votre relation s'en trouve-t-elle affectée ?   *Votre réponse :*

Lorsqu'un homme et une femme sont près l'un de l'autre et se touchent, ils se sentent l'un l'autre. C'est bien différent d'une simple conversation. L'espace entre deux personnes ajoute une certaine objectivité. Nous ressentons cette impression lorsque nous communiquons avec des gens au travail ou ailleurs. La communication par le toucher est une chose trop intime. Nous pouvons donner la main ou donner un baiser du bout des lèvres à quelqu'un pour ensuite converser à distance.

Nous exprimons une intimité lorsque nous touchons quelqu'un ou qu'il nous touche; c'est pourquoi lorsque nous ne touchons pas l'autre personne, nous manifestons un certain éloignement. La distance amène une relation moins personnelle.

Alors que nous étions tendres et compréhensifs dans le passé, il manque maintenant un certain élément d'unité entre nous. Il n'est pas nécessaire qu'un couple se touche sans cesse, mais lorsqu'il communique moins souvent par le toucher, sa relation se dépare d'un élément de délicatesse et de tendresse.

Il est difficile de n'être pas attentif à l'autre lorsque vous vous touchez. Il est difficile de se concentrer sur quelqu'un uniquement par la vue et par l'ouïe. Il faut aussi se servir de ses mains. Nous avons tous connu des moments où nous savions que l'autre n'était pas vraiment présent à nous. Il nous répondait correctement et pouvait répéter toutes nos paroles, et pourtant, il n'était pas vraiment présent. Nous pouvons être éveillé à l'autre, même si nous ne nous tenons pas par la main ou si nous ne sommes pas dans les bras l'un de l'autre, mais la chose est moins probable. En nous touchant, nous ressentons un véritable intérêt réciproque.

Mais surtout, en nous touchant, nous dépassons notre « moi » pour rejoindre l'autre personne. En te touchant, mon esprit va jusqu'à toi. Il est plus difficile de me concentrer uniquement sur moi-même, sur ce que je dis ou sur ce qui se passe à l'intérieur de moi-même. N'est-ce pas vrai? Lorsque nous voulons jeter un regard à l'intérieur de nous-mêmes, lorsque nous voulons découvrir le fond de notre pensée, ou lorsque nous souhaitons vivre une expérience en nous-mêmes, nous recherchons la solitude. Ainsi, parce qu'on se touche moins, la relation subit un certain refroidissement; la personne opère un certain repli sur elle-même et se centre davantage sur ses propres intérêts.

De plus, en se touchant moins, on devient davantage exposé aux blessures morales. Nous nous sentons isolé, incompris, tenu pour acquis — et quelquefois même nous avons l'impression qu'on abuse de nous. Le mariage peut devenir une corvée. Nous jouons notre rôle, non pas par plaisir, mais par devoir. Et notre capacité de relation personnelle en souffre.

Nous croyons que le temps des amours est révolu, qu'il a déjà existé pour nous, mais que, désormais, c'est aux plus jeunes d'en profiter. Le problème n'est pas nécessairement que nous soyons insatisfaits, troublés ou fâchés l'un contre l'autre, ou que nous refusions d'assumer les responsabilités du mariage, mais le pétillement en est disparu. Il est devenu plat. Notre intérêt porte sur d'autres choses que sur notre relation réciproque. Nous avons « perdu le contact » en nous touchant moins.

Pourquoi vous touchez-vous moins qu'avant ?

Votre réponse :

Pourquoi une épouse s'assied-elle à l'autre bout du siège de l'auto? Elle ne dit pas «Je ne veux plus que tu me touches», pourtant, elle éprouve plus de confort en mettant son coude sur l'appui-bras. Pourquoi un mari, en rentrant chez lui le soir, donne-t-il un baiser rapide à sa femme pour ensuite l'abandonner derrière lui? Il veut lire son journal ou écouter les nouvelles avant le repas du soir. Nous sommes toujours disponibles l'un à l'autre, et ainsi, d'une certaine manière, nous sommes rarement véritablement disponibles. Nous nous touchons moins parce que nous nous sommes habitués l'un à l'autre. L'élément de nouveauté qui régnait avant le mariage a disparu. L'émerveillement que nous éprouvions à être compris et aux réactions de l'autre a disparu aussi.

En fait, le temps nous a laissé croire qu'en se tenant la main, on agit en jeunes amoureux, et qu'après la lune de miel la sentimentalité prend fin, du moins en public. Pourquoi donc cessons-nous de nous tenir par la main également dans l'intimité du foyer? Pourquoi une personne peut-elle entrer dans un restaurant et déceler presque à tout coup les couples mariés et ceux qui ne le sont pas? Ceux qui se tiennent par la main et se regardent dans les yeux ne sont pas mariés!

Pourtant personne ne nous menace à la pointe du fusil et ne nous interdit de le faire; mais peut-être quelqu'un nous a-t-il vus par la main à une réunion mondaine et s'est permis de remarquer sur un ton un peu moqueur: « N'est-ce pas qu'ils sont mignons! » Et alors, graduellement, nous avons cessé de nous tenir par la main de peur d'être « mignons ».

Peut-être sommes-nous de ces couples mariés qui se tiennent encore par la main, mais où le cœur n'y est pas. Nous le faisons comme nous enfilons nos gants ou nos couvre-chaussures. C'est confortable. Nous nous tenons par la main, mais nous nous touchons à peine. Le geste est dénudé de toute dynamique et de toute attention. Rien ne se passe vraiment entre nous.

Peut-être ne nous touchons-nous plus parce que nous ne sommes plus absorbés l'un par l'autre, comme au début, et que nous sommes préoccupés par d'autres choses. Notre vie tout entière n'est plus centrée sur «nous» comme au temps de nos fréquentations. Nous avons désormais un temps et un lieu pour chaque chose. Désormais, nous devons intégrer à nos vies toutes sortes de nouvelles activités. Et nous accordons à notre relation le temps qui reste après avoir réglé tout le reste.

Une autre raison pour laquelle nous ne nous touchons plus souvent, c'est qu'il semble que ce ne soit plus bien pratique. Au temps des fréquentations, nous nous tenions par la main même s'il faisait très froid. Nous restions enlacés même si nous devions en avoir mal au cou. Aujourd'hui, notre confort est plus important. Et de plus, nous croyons ne plus avoir le temps de le faire. Au temps de nos amours, nous avions tout le temps du monde. Aujourd'hui c'est différent. Nous avons laissé certaines distractions s'intégrer à notre mode de vie. Nous donnons comme prétexte que nous n'y pouvons pas grand-chose, mais en fait, nous pouvons faire beaucoup pour y remédier. Si nous ne le faisons pas, c'est parce que nous permettons à d'autres choses de prendre le dessus. Nous sommes là l'un pour l'autre, croyons-nous, n'est-ce pas suffisant?

On fait beaucoup de plaisanteries sur les hommes et les femmes qui se laissent aller après le mariage. Les gens s'imaginent qu'ils ont trouvé le compagnon idéal et qu'ils n'ont rien à faire pour le garder, parce qu'il est bien pris au piège, en quelque sorte. On nous montre des dessins animés où, à vingt ans, la femme était légère et gaie; à quarante ans, elle fait de l'embonpoint. Il y a aussi le jeune homme toujours bien mis, à la chevelure impeccable, qui aujourd'hui se contente d'un T-shirt douteux et d'une coiffure ébouriffée. On pourrait affirmer sans se tromper que ni l'un ni l'autre ne se préoccupe plus de ce que l'autre pense de lui.

Et il en est de même pour la communication par le toucher. Peu nous importe les pensées ou les sentiments de l'autre personne.

Dans le premier exemple, nous nous laissons aller. Dans le deuxième cas, c'est l'autre personne que nous laissons aller! Nous ne nous agrippons plus l'un à l'autre. Nous nous imaginons que l'autre sera toujours à nos côtés, peu importe ce que nous faisons.

Lorsque le toucher fait partie de notre mode de vie, nous affirmons notre participation, nous nous donnons l'un à l'autre. Lorsque nous éloignons nos mains, nous affirmons au contraire que nous nous retournons sur nous-même et que nous préférons nous occuper de nos affaires.

Croyez-vous   *Votre réponse:*
que le toucher est
une forme de communication?

Le toucher est plus qu'un acte passager qui nous donne une sensation de bien-être. Le toucher bien sûr amène confort et sécurité, il est l'expression d'une certaine affection. Mais il y a plus: il est nécessaire à la communication.

La communication ne se fait pas seulement par la parole et l'écoute. Même si les pensées sont exprimées clairement, même si on peut les entendre, les comprendre et y réagir, il existe encore une autre dimension qui permet d'accroître leur efficacité. Cet autre facteur, c'est le toucher.

Le toucher constitue un aspect important de toute communication, mais plus spécialement entre mari et femme. Ils peuvent s'exprimer bien des choses uniquement par le toucher.

Tu te souviens...
On avait tant de plaisir
à se regarder dans les yeux !

Il m'arrive de rendre visite à un couple qui a des difficultés avec les enfants. Je peux leur dire des mots réconfortants pour montrer à quel point je tiens à les aider, à quel point je souffre avec eux. Mais il est bien possible que je n'arrive pas à établir le contact avec eux. Par contre, si je les entoure de mes bras, ils sentiront la compassion, l'attention et la compréhension dont mes paroles sont pleines. Le toucher ne vaut pas seulement pour les circonstances extraordinaires, mais aussi pour les événements de tous les jours. La préparation des sempiternels repas, le lavage de la vaisselle et le nettoyage de la maison peuvent supposer une existence bien morne. Une étreinte du mari peut dire à sa femme bien plus que des mots. Le travail quotidien, les faiblesses humaines, les efforts pour garder son emploi ou obtenir de l'avancement, l'inquiétude que lui causent les besoins familiaux, tout cela peut épuiser un mari. Son épouse peut bien affirmer qu'elle sait ce qu'il a à subir, mais cela ne peut sembler rien d'autre qu'une compréhension intellectuelle sans participation personnelle. Par contre, lorsqu'elle le serre dans ses bras, il peut sentir la conscience et la reconnaissance qu'elle manifeste à son égard.

Gilles me raconta l'expérience suivante: un soir, au souper, il devint particulièrement conscient du toucher de son épouse. La journée avait été pénible au travail et la circulation, intense sur l'autoroute. En arrivant à la maison, les choses ne se sont pas améliorées lorsqu'il aperçut la bicyclette de Jeannot: il y avait toujours quelque chose qui clochait. Il avala son repas d'un air grognon. Il savait fort bien qu'il ne rendait pas justice à Louise et aux enfants, mais c'était tout simplement plus fort que lui. Et bientôt il se rendit compte des efforts que Louise faisait pour le toucher. Elle appuyait la main sur son bras, caressait sa joue, ou encore lui faisait une petite caresse lorsqu'elle quittait la table. Au début, il refusait carrément d'en prendre conscience, puis il se rendit compte que ces gestes lui plaisaient. Il espérait même qu'elle se levât de table plus souvent. Graduellement, il sentit que l'empoisonnement de la journée s'évaporait de son système. Ses muscles se détendirent et il commença à redevenir lui-même. Il l'attira à lui: « Louise, je t'aime. Reste près de moi. Lorsque tu me touches, des merveilles se produisent en moi. »

En effleurant, en touchant, en caressant son bien-aimé, on peut lui faire plus de bien que toutes les bonnes paroles au monde. Il s'aperçoit qu'on remarque sa présence, qu'on pense à lui et qu'on tient à lui : il reçoit l'assurance qu'il est important. S'il est aux prises avec un conflit intérieur ou si l'amertume le dévore, il en sera plus facilement libéré par le toucher que par des paroles.

D'ailleurs, la joie et l'allégresse ne sont pas des émotions qui se vivent dans la solitude. Nous tenons à les partager. Les membres de l'équipe de football victorieuse, dans leur exubérance, se donnent des tapes dans le dos et soulèvent leur capitaine en l'air. Et que dire de la jeune fille qui annonce ses fiançailles ? Ses compagnes l'entourent pour l'embrasser et pour voir sa bague. Elles ne regardent pas seulement la bague, elles tiennent sa main pour partager sa joie. Il en est de même lorsqu'une joie spéciale survient dans la vie d'un couple. Ils ne peuvent bien la vivre sans se toucher. Leur expérience intérieure a besoin de se manifester à travers leurs corps autant que dans leurs paroles.

L'un de vous deux prend-il toujours l'initiative quand il s'agit de se toucher ?   *Votre réponse :*

Dans une relation de mari à femme, une des deux personnes est appelée à devenir celle des deux qui touche plus que l'autre. Il se peut que cette personne ait grandi dans une famille où l'affection se manifestait ouvertement, et c'est pourquoi il lui est facile et naturel de toucher et d'être touchée. Par contre, l'autre a peut-être grandi dans une famille où cela ne se faisait pas, et c'est pourquoi il lui est bien difficile de toucher l'autre ou d'être touchée. Aux yeux de cette personne, le toucher est un geste trop démonstratif.

Une partie du problème réside dans les mots mêmes que nous employons pour décrire ce phénomène. Nous disons que celui qui touche est plus affectueux que l'autre. Mais c'est réduire le toucher à l'affection. Le toucher est sans aucun doute une marque d'affection: tendresse, douceur, chaleur; tout cela est beau et admirable, mais en réalité, le toucher signifie beaucoup plus. Nos mains transmettent un vocabulaire beaucoup plus riche. La personne désireuse de toucher est celle qui consacre son attention à l'autre et souhaite qu'en retour l'autre soit attentive. Finalement, nous ne touchons pas n'importe qui! C'est pourquoi, en touchant l'autre personne, nous tenons pour acquis notre intimité avec elle, la participation à sa vie.

Le toucher procure en outre un certain sentiment de sécurité. Nous avons confiance l'un dans l'autre. Je me sens encouragé, libre de te dire ce qui se passe en moi. Ainsi, bien que nos touchers puissent véhiculer une certaine affection, mes doigts expriment aussi une demande d'aide pour que je réussisse à te dire ce que je sens le besoin de dire. Ou encore j'ai remarqué que tu es sous pression et je cherche à te calmer.

Vous êtes-vous déjà demandé pourquoi les gens aiment garder des animaux domestiques et des plantes? C'est probablement parce qu'ils aiment à les toucher. Instinctivement, nous voulons toucher quelque chose, et ce qu'il y a de merveilleux chez les animaux familiers et les plantes, c'est qu'ils sont disponibles. Ils sont là et nous pouvons les toucher sans nous compromettre. Nous ne pouvons pas concevoir être propriétaire d'un chat ou d'un chien sans le toucher, parce que c'est le principal mode de communication entre les hommes et les animaux. Mais le toucher est aussi important comme mode de communication de personne à personne. Si deux personnes peuvent communiquer par la parole, cela ne signifie pas qu'elles peuvent se passer du toucher et des autres formes de communication.

Nous jugeons souvent les « toucheurs » comme des gens un peu faibles, dépourvus de la force nécessaire pour camoufler leurs émotions. C'est pourtant le contraire qui est vrai. Ce sont eux les vrais courageux. Ceux qui gardent tout pour eux-mêmes, qui ne cherchent pas à communiquer par le toucher, ceux-là sont faibles. Ils refusent de s'exposer. Ils ne veulent pas que les autres les connaissent vraiment, c'est pourquoi ils s'efforcent de donner l'impression qu'ils sont imperméables aux difficultés et aux dangers.

Un des éléments merveilleux de la relation du couple, c'est que chacun possède des points forts et des atouts dont l'autre profite graduellement. Une épouse ressent la douceur de son mari, et graduellement devient elle-même plus douce. Un mari ressent la compréhension de sa femme et fait preuve lui-même de plus de compréhension. La personne qui n'est pas douée de cette qualité du « toucher » peut apprendre à l'apprécier chez son bien-aimé, et graduellement l'acquérir pour elle-même. De même, la personne qui est douée de cette même qualité peut tendrement libérer son partenaire de son état de tension, de repli sur soi ou de refus de montrer ses émotions.

À ce sujet le père peut être d'un grand secours. Un soir que les parents de Karine étaient venus souper, elle et Paul s'affairaient dans la cuisine à nettoyer; Paul se rendit compte tout à coup pourquoi il aimait leur compagnie: « Karine, ton père et ta mère sont comme des nouveaux mariés. Il lui tient toujours la main ou l'entoure de ses bras. En retour, elle appuie sa tête sur son épaule. »

« Mais ils sont comme ça depuis que je suis toute petite », répondit Karine.

« Je crois bien que je suis jaloux de ton père, avoua Paul. Je t'aime et je désire être un bon mari, mais je suis loin d'être aussi doux et aimant avec toi que ton père l'est avec ta mère. Ton père m'a donné un conseil ce soir. Il m'a dit que si jamais on devait me couper les mains, tu n'en souffrirais aucunement. Il m'a dit qu'il faudrait même que je t'apprenne qu'elles ont été coupées. Il m'a fait savoir finement que l'amour est une chose qu'on livre soi-même en mains propres.

C'est curieux comme on se touche moins depuis quelque temps...

« Je crois qu'il y a du vrai là-dedans, mais je me sens comme un écolier. C'est ridicule. Voilà quinze ans que nous sommes mariés et je me sens tout drôle à prendre ta main ou à te tenir dans mes bras. Qu'est-ce que tu dis de ça, pour un premier essai ? » Paul la serra rapidement dans ses bras. Lorsque les parents de Karine revinrent, environ deux mois après, Karine dit à son père : « Le conseil que tu as donné à Paul était formidable. Merci, Papa. Je croyais que nous avions dépassé ce que nous appelions l'étape de désintégration. Comme je suis heureuse que ce ne soit pas le cas. Notre vie est entièrement renouvelée ! »

Quand vous vous tenez par la main, qu'est-ce que vous dites?

Votre réponse:

Nous nous imaginons que se tenir les mains n'est rien d'autre que « se tenir les mains », qu'une étreinte n'est rien d'autre qu'une « étreinte ». Pourtant, ni l'un ni l'autre n'est ordinaire: ce sont des gestes complexes. Nous nous livrons toutes sortes de messages par l'entremise de nos mains et de nos bras.

Lise, une jeune épouse dans un groupe de couples, rapportait un petit incident qui avait eu pour elle une grande importance. À leur sortie du cinéma, le samedi soir précédent, Lise et Daniel marchaient dans la rue pour rentrer chez eux, lorsqu'elle glissa une main hésitante dans la poche de son mari pour tenir sa main. En d'autres occasions, Daniel tirait un mouchoir et se mouchait, pour ne pas remettre la main dans sa poche; ou il allumait une cigarette, ou bien il retirait tout simplement sa main de sa poche et se mettait à gesticuler tout en conversant.

Mais cette fois, il laissa sa main dans sa poche. Elle sentit la forte main de son mari et ses grands doigts. Cette sensation lui procura un sentiment de sécurité et de protection. Ce moment fut pour elle le meilleur de toute la soirée. Il y avait une espèce de magie dans cet instant où la main de Daniel se détendit dans la sienne. Elle n'était pas très loquace. Elle souhaitait simplement profiter de cette sensation de la main de Daniel. Comme c'était bon. Et elle espère que cela se reproduira souvent.

En outre, nous communiquons l'intensité de nos sentiments ou la profondeur de notre conviction par la pression que nous exerçons lorsque nous tenons l'autre personne. Nous exprimons notre attention à l'autre personne par la qualité de notre toucher. Par notre manière de tenir sa main, nous pouvons en retour réclamer sa compréhension. Par notre toucher, nous pouvons également ramener à la vie une autre personne blessée moralement, ou encore nous pouvons réclamer son pardon.

Le tremblement des doigts, une main froide, une paume en sueur, la chair de poule sur le bras, la tension des muscles de notre corps, tout cela exprime nos sentiments intérieurs.

Nous pouvons communiquer à notre conjoint beaucoup de choses dont nous ne sommes même pas conscient. Ainsi, par exemple, nos paroles peuvent exprimer la colère et l'hostilité, et demander à l'autre personne de reconnaître ses torts à notre égard. Et en même temps, peut-être, nos mains réclament compréhension et pardon, intimité et chaleur. Nos paroles éloignent peut-être notre bien-aimé, mais le toucher exprime un désir de le ramener à soi. Ou encore, nous affirmons que tout est parfait entre nous, mais la raideur de notre dos prouve bien le contraire. Nous émettons des messages contradictoires. En réalité, notre bien-aimé ressent le message corporel. Si nous affirmons une chose avec notre bouche et une autre avec nos mains, habituellement, c'est le message de nos mains qui est le plus juste.

En certaines occasions, nous ne cherchons même pas à lancer un message. Nous nous sentons intime, un bon soir, alors nous tenons la main de notre bien-aimé, nous le serrons très fort ou nous l'étreignons tendrement, mais ça ne va pas plus loin. Nous sous-estimons notre pouvoir. Nous ne tirons pas profit d'une merveilleuse occasion de communiquer. Nous pouvons donner à ces instants une signification particulière. Ils peuvent rendre notre relation plus belle et plus enrichissante. Ces instants nous appartiennent en propre.

Un dessin animé bien connu illustre le mari, à la table du petit déjeuner, sirotant son café et lisant son journal pendant que son épouse, en déshabillé et en pantoufles, les cheveux en bouclettes, se tient à sa disposition. Elle bavarde à qui mieux mieux et lui dit: « Mais tu ne m'écoutes pas! » pour s'entendre répondre: « Mais tu n'as rien dit! » Ils ont tous les deux raison!

Quels messages transmettent notre baiser du matin,

Quand tu me touches ainsi,
je sens que l'empoisonnement
sort de mon système.

notre baiser d'au revoir, ou notre étreinte d'accueil au retour du travail et notre étreinte avant le coucher? Si nous posons ces gestes uniquement parce que nous croyons que le conjoint les tient pour acquis, pour ensuite déverser sur lui le flot des événements de la journée, alors, notre geste est dépourvu de toute signification. Pourtant, nous communiquons tout de même intensément: nous faisons savoir à notre conjoint que nos accueils sont plutôt insignifiants. Nous répétons le geste parce que l'autre personne s'y attend ou encore parce que c'est la chose à faire. Je dis: «Maintenant que c'est fait, passons à la véritable communication. Je veux te raconter ce qui s'est passé aujourd'hui.» Un instant! C'est plus important de se préoccuper de la relation, de lui accorder la première place, que de donner un compte rendu des faits de la journée. Toi et moi — c'est-à-dire nous — sommes plus importants que tout le reste. Nos mains peuvent justement nous aider à le faire. Touchons-nous réciproquement, entièrement conscients de notre relation.

Quel message percevez-vous lorsqu'on vous touche?   *Votre réponse:*

Si un mari éprouve chaleur et tendresse pour sa femme, il veut qu'elle tienne sa main ou qu'elle l'étreigne. Son message est le suivant: «Voici comment je me sens, et je veux que tu ressentes la même chose aussi. Fais-moi connaître ce sentiment ouvertement par un toucher, un baiser ou une étreinte. » Ainsi, le seul message qu'elle puisse lui transmettre — si elle le touche à ce moment particulier — est celui qu'il est déjà disposé à entendre. Si elle ne le fait pas, elle n'est absolument pas attentive à son message. Pour arriver à changer l'atmosphère que notre conjoint crée ainsi, il suffit d'éviter de se toucher ou de se tenir les mains sans y mettre la signification correspondante.

Il m'arrive de ne pas vouloir que tu me touches, simplement parce que je n'en ai pas envie. Le seul fait que tu veuilles communiquer avec moi par l'entremise de tes mains est sans importance. Moi, je ne suis pas d'humeur à percevoir ton message. Je ne suis pas intéressé, et tu ne devrais pas t'attendre à ce que je le sois. Nous n'acceptons pas une telle attitude sur le plan de la communication verbale. Si notre bien-aimé désire parler, il est tout naturel de l'écouter. Nous ne le faisons pas toujours, mais nous savons que nous devrions le faire. Chaque élément de communication non verbale est aussi important sinon davantage.

Les touchers sont normaux et naturels entre des conjoints, surtout lorsqu'ils sont bien disposés l'un à l'égard de l'autre; mais il y a plus. Ainsi, nous pouvons nous efforcer de centrer notre attention sur les mains l'un de l'autre, tout comme nous nous efforçons d'être attentifs aux paroles l'un de l'autre. Nous pouvons essayer de déceler la signification du message transmis par les mains de l'autre personne. Je peux déchiffrer le message de mon bien-aimé lorsqu'il frotte son pouce sur le dos de ma main. Quel est le message de cette prise relâchée? Quelle question se cache derrière l'étreinte? Que signifie la pression plus ou moins accentuée des lèvres?

À mesure que nous nous acclimatons à la communication non verbale, nous pouvons percevoir notre conjoint en stéréophonie.

L'autre personne sait-elle ce que vous lui dites?

Votre réponse:

Tout comme nous tenons à faire passer le message de notre communication verbale, de même devrions-nous tenir à notre communication non verbale.

Il est possible que je conçoive très bien ce que j'essaie de communiquer avec mes mains, mais je ne dois pas m'attendre à ce qu'un autre saisisse automatiquement ce message. Si mon bien-aimé ne le saisit pas, je ne peux pas conclure: « Si tu ne comprends pas, c'est parce que tu n'y tiens pas. » Cette affirmation n'est tout simplement pas vraie. Et même si elle l'était, ce n'est pas une raison pour cesser de le faire.

Je dois me demander quel est le meilleur moyen d'exprimer à mon conjoint mes sentiments par mes mains et mon corps. Il me faut donc être à la recherche d'indices verbaux et non verbaux émis par lui, qui me permettront de découvrir s'il saisit ou pas ce que j'essaie de lui dire.

Peut-être pour être compris devrais-je modifier un peu — ou beaucoup — mon mode de communication non verbale. Mon langage gestuel est peut-être mal compris ou inadéquat et c'est pourquoi je devrais l'enrichir de quelque communication verbale.

Lorsqu'Hélène devait adresser la parole à un groupe quelque peu nombreux, elle devenait tendue, ses mains toutes froides, et ressentait le besoin d'être étreinte. Elle aimait à parler en public, mais elle éprouvait un certain trac avant de le faire. Marc savait que les soirs où elle devait sortir, l'heure du souper était pénible et il se sentait presque rien. Un soir qu'Hélène se préparait à sortir, elle se confia à Marc: « Chéri, je veux que tu me serres dans tes bras. Sens-tu toute cette tension dans mon dos? Mon estomac et mon cœur sont tout aussi tendus. Mes mains sont froides et j'ai les nerfs à fleur de peau. Tout ira bien aussitôt que j'aurai commencé. Mais pour le moment — juste un instant — j'ai besoin que tu me serres fort. » À partir de ce jour, Marc, d'une certaine manière, participait à ses conférences, et tous les deux se sentirent mieux.

Notre communication non verbale est probablement si centrée sur nous que le message devient confus. Nous devrions peut-être sensibiliser notre conjoint à nos émotions, tout comme Hélène a aidé Marc à le faire. L'autre personne éprouve aussi de la difficulté à comprendre nos paroles si nous acceptons rarement qu'elle nous touche. Si je me replie sur moi-même pendant de longues périodes, je ne peux pas m'attendre à ce que l'autre personne soit attentive à mes messages. Si je ne réserve les touchers qu'aux moments qui me conviennent, il ne s'agit pas de véritable communication. En ce faisant, mon conjoint devient assujetti à mes besoins. Je le mets à ma disposition; la communication devient non plus un échange, mais une demande de service.

À mesure que nous nous assurons que nos touchers transmettent le message voulu, nous créerons notre langage intime: il se perfectionnera et deviendra continuellement plus excitant et plus satisfaisant.

Jeu de pieds

**Quelle influence
vos touchers ont-ils
sur votre communication
verbale ?**

Votre réponse :

Une carte géographique en trois dimensions est plus révélatrice qu'une carte imprimée. Un stéréoscope donne de la profondeur à des illustrations en deux dimensions. De même, les touchers ajoutent-ils une dimension à l'expérience d'un couple. Ils permettent d'accorder plus d'attention à ce qui est dit et augmentent la vitalité de l'autre personne. Ils ajoutent des nuances aux paroles et encouragent l'autre à mesure qu'il parle. Les touchers sont un signe d'attention : ils signifient que nous sommes intéressés à donner ou à recevoir la totalité du message.

En touchant mon bien-aimé, non seulement je lui fais savoir qu'il n'est pas n'importe qui ; il est quelqu'un en qui j'ai investi ; il m'appartient. Ma relation avec lui est très spéciale. L'intimité que procurent les touchers n'existe pas dans la communication verbale. En touchant mon bien-aimé, je le rassure, je lui dis qu'il peut se permettre d'être tout à fait lui-même avec moi.

Lorsqu'un couple est enlacé, il parvient à se dire des choses délicates sans craindre de se blesser. En se touchant, les époux manifestent à quel point ils tiennent l'un à l'autre. Bien qu'ils puissent se dire des choses possiblement blessantes, l'effet guérisseur se fait en même temps ressentir.

Le toucher comporte également un aspect très personnel. Même le sujet le plus terre à terre prend une dimension hors de l'ordinaire, parce qu'il devient leur affaire à tous les deux.

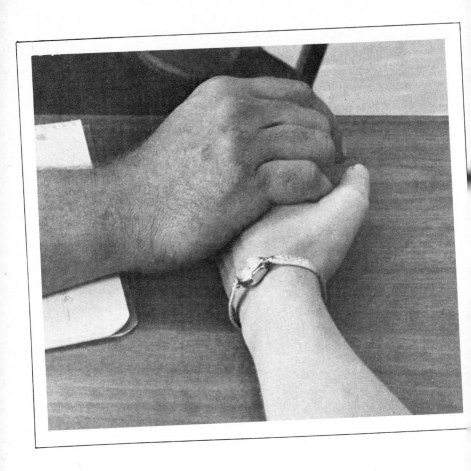

Jeu de mains

Quelle influence
votre communication
non verbale
a-t-elle sur votre
communication sexuelle?

Votre réponse:

Lorsque les couples commencent à croire qu'en ayant des relations sexuelles ils n'ont plus à se toucher comme avant le mariage, ils sont appelés à connaître des difficultés. Ils croient que parce qu'ils couchent ensemble, la communication non verbale est devenue inutile.

Pourtant, il faut remarquer que ceux et celles qui ont eu des relations sexuelles avant le mariage ne manquaient pas, quand même, de se tenir les mains ou de se prendre dans les bras l'un de l'autre en d'autres occasions. Ce n'est qu'après le mariage qu'ils ont soudainement décidé que la sexualité avait remplacé le toucher.

Cela est en partie attribuable à certaines idées préconçues. Beaucoup de gens croient que le toucher n'est qu'une préparation aux relations sexuelles. Lorsqu'ils ne désirent pas avoir de relations sexuelles, ils croient que la communication non verbale n'est pas à propos. Ainsi, en se touchant, la communication implicite qu'ils se livrent est la suivante: « Nous allons jusqu'au bout ». C'est ce qui amène une femme à croire que son mari ne désire qu'une chose en disant: « Tu ne me touches que lorsque tu désires avoir des relations sexuelles avec moi. » (Nous attribuons souvent la faute à l'autre personne alors que nous sommes aussi responsable de cette situation. Nous limitons nous-mêmes nos touchers.) Une femme peut se plaindre à son mari en lui rappelant comme c'était agréable lorsqu'ils allaient quelque part et qu'elle s'asseyait près de lui dans l'auto, mais cette époque est désormais révolue. Il pourrait lui demander tout simplement: « Mais qui donc s'est éloigné de l'autre? »

Un des problèmes, quand on fait le lien entre le toucher et la sexualité, vient de ce que la sexualité devient un élément moins important dans notre vie. Elle s'est transformée en une activité plutôt qu'en une occasion de communiquer notre amour.

La sexualité est un médicament fort. Nous devons nous préparer avant d'en prendre. Si nous ne nous sommes pas touchés de la journée, alors c'est trop de se lancer dans la sexualité, le soir venu. Nous avons tendance à voir la sexualité comme un acte à réaliser plutôt qu'une autre forme de communication entre nous.

Le toucher peut s'intégrer à toute la journée et non pas être réservé uniquement à l'épisode préliminaire de l'acte sexuel. Lorsqu'un couple a l'habitude de communiquer verbalement et physiquement, la sexualité s'intègre bien dans le décor. La sexualité devient partie intégrante de leur manifestation d'amour, et non un acte ordinaire à réaliser avec consentement et plaisir mutuels.

Une des difficultés dans la vie consiste en ce que les gens mettent des cloisons entre les différents aspects de leur vie. Ils ont leurs activités quotidiennes, leur vie spirituelle, leur vie de parents, leur vie sociale, leur vie avec la parenté, leur vie communautaire. Mieux vaudrait intégrer tous les aspects de leur vie en un seul tout. Nous n'avons qu'une vie, et elle offre diverses occasions d'exprimer notre relation mutuelle, et notre relation de couple avec les autres. En sectionnant ces aspects, je centre mon attention sur mon agir et non sur toi. Je me concentre sur le fait que je vais rendre visite à ta mère, que je m'occupe des enfants, que j'ai des responsabilités à l'égard de notre voisin, que je vais avoir des relations sexuelles, ou encore que j'ai des responsabilités municipales. J'agis comme un individu qui croise ton chemin, par hasard, au cours de ses activités. Même dans une relation sexuelle d'homme et de femme, nous faisons quelque chose d'agréable au lieu de partager notre personnalité intime.

La communication non verbale est très importante sur le plan de la sexualité. Si nous arrivons à être entièrement présents l'un à l'autre par le toucher, nous pouvons espérer que la sexualité devienne un mode d'écoute réciproque, et le moyen le plus merveilleux d'être ouvert à l'autre.

Chaque jour est tissé de mille petites choses à partager entre nous. Elles servent à compléter l'image globale de notre relation. Si nous ne partageons que les choses importantes, bientôt, seules ces choses importantes auront de la signification pour nous. Et tout le reste, à nos yeux, sera fade. En réalité, nous refusons à notre vie beaucoup de profondeur et de couleur. En outre, en ne partageant pas les petites choses quotidiennes, il se peut fort bien que nous ne nous comprenions pas bien au cours de la soirée. Il nous faut communiquer souvent, verbalement et non verbalement, durant la journée.

La plupart d'entre nous sommes des personnes honnêtes, et sensées, du monde ordinaire, et les choses qui nous paraissent importantes ne feraient pas la manchette des journaux; mais à mesure que nous en parlons et nous en préoccupons, elles acquièrent une certaine signification à nos yeux. La vie, avec ses hauts et ses bas, a quand même du piquant parce que nous sommes tous les deux sur la même longueur d'onde. La sexualité n'est pas une simple routine lorsque nous comprenons que notre communication verbale et non verbale nous prépare à nous recevoir l'un l'autre. Lorsque nous n'avons pas souvent de contacts physiques, la sexualité peut prendre trop d'importance puisqu'elle doit assumer le fardeau de toute la communication physique entre nous. Ou encore, elle peut devenir moins importante qu'elle le devrait, parce que c'est une réalité trop essentielle pour pouvoir se passer de communication non verbale permanente. Nous en faisons donc une simple routine — quelque chose que nous pouvons nous permettre de considérer comme une activité quotidienne bien ordinaire.

**Êtes-vous à l'écoute
du langage gestuel
de votre conjoint?**

Votre réponse:

Plus un mari et sa femme sont à l'écoute l'un de l'autre, plus ils sont à même de savoir ce qui se passe entre eux. Ils peuvent connaître la signification d'une démarche lourde dans l'escalier, de sa manière brusque de dénouer sa cravate, de sa nonchalence en enlevant son manteau. À l'occasion, un vaisseau sanguin révélateur, sur la main ou le front, laisse savoir au bien-aimé que quelque chose ne va pas. L'absence de maquillage ou le désir de se mettre au lit immédiatement après souper, une chevelure ébouriffée ou une main nerveuse, peuvent mettre le conjoint à l'écoute.

Il nous arrive d'être si préoccupé par nos propres affaires que nous ne remarquons même pas les petites choses pourtant bien évidentes. Il se peut que nous n'y pensions que plus tard: « Oui, j'aurais dû me rendre compte qu'elle était inquiète. » « J'aurais dû savoir qu'il avait eu une rude journée. »

Chaque fois que nous sommes replié sur nous-même, nous refusons d'écouter. C'est seulement lorsque nous avons eu une assez bonne journée que nous prenons conscience de l'autre personne; et si nous avons eu une dure journée, nous cherchons à nous faire remarquer. Lorsque nous remarquons l'autre dans un tel cas, même là, certaines barrières nous empêchent souvent de réagir. Nous sommes à la course pour aller quelque part, nous voulons préparer le repas le plus vite possible, nous désirons lire le journal ou regarder les nouvelles à la télévision. Nous espérons qu'au bout d'un certain temps, l'autre personne deviendra disponible ou qu'elle aura réglé elle-même son problème. Ou peut-être sommes-nous de mauvaise humeur; ou nous nous souvenons très bien que, la dernière

Il est facile de se tenir la main,
même dans la foule

fois que nous étions d'humeur si piteuse, il n'avait rien remarqué.

Mais en général, nous remarquons tout de même que notre bien-aimé est troublé, et nous voulons faire un effort quelconque pour l'aider. Nous le faisons peut-être indirectement, en chassant les enfants ou en nous efforçant d'être particulièrement gai et animé. Cela peut aider dans une certaine mesure, mais la meilleure solution demeure d'en parler franchement et ouvertement. C'est sans doute plus difficile. Cela suppose une participation de notre part. Pourtant, si nous le faisons, nous ne raterons pas une bonne occasion de nous rapprocher l'un de l'autre.

Il arrive qu'une personne, quand elle se sent déprimée, utilise un langage gestuel qui ne nous est pas particulièrement sympathique; aussi avons-nous tendance à éviter d'aborder avec elle son problème. Elle aura sans doute les nerfs à fleur de peau, s'en prendra aux enfants, se mettra à broyer du noir ou ira se coucher. Parce que nous sommes mal à l'aise, plutôt que d'être attentif à son langage gestuel, nous réagissons négativement en tenant compte de l'effet que cela fait sur nous. Nous nous préoccupons des répercussions de son activité sur nous. Mais si nous arrivions à nous oublier et à nous concentrer sur la personne qui nous tient le plus à cœur au monde, nous pourrions saisir son message.

Êtes-vous conscient de votre propre langage gestuel?   *Votre réponse:*

Nos émotions sont complexes et la relation d'un couple est une chose compliquée; c'est pourquoi il est bien possible que notre langage gestuel transmette quelque chose dont nous ne sommes pas conscient. Ou encore, nos paroles disent une chose et notre corps en affirme une autre. Ce qui est surprenant, c'est que la plupart du temps, nous ne sommes même pas conscient de la contradiction! En d'autres occasions, nous cherchons à livrer un message intense par l'entremise de notre posture et de nos mouvements et nos paroles (ou l'absence de paroles) viennent le contredire, parce que nous voulons que notre conjoint devine ce qui se passe en nous. Et s'il ne devine pas exactement la raison de notre comportement, nous en sommes troublé.

En prenant conscience de notre propre langage gestuel, nous pouvons nous aider à nous comprendre nous-même. Ce serait une bonne chose d'être conscient de notre posture, à n'importe quel moment, et du message que nous livrons ainsi à notre conjoint. Faisons un essai. N'écoutons pas seulement ce que notre conjoint nous dit, efforçons-nous de comprendre ce que nous disons, verbalement et non verbalement!

Est-ce que vous regardez votre conjoint lorsque vous l'écoutez?

Votre réponse:

Notre relation en est affectée, quand nous écoutons notre mari ou notre femme d'une oreille distraite. Et c'est pire lorsque nous ne regardons pas du tout notre conjoint! Bien sûr, nous sommes occupé. Nous sommes préoccupé par les corvées ménagères ordinaires comme mettre de l'ordre, laver la vaisselle, effectuer une réparation quelconque. Nos yeux sont partout à la fois. Pourtant, il arrive que nous regardions tout simplement nos chaussures, ou loin derrière l'épaule de notre interlocuteur, ou encore par la fenêtre.

Pourquoi donc? Il n'est pas possible d'être entièrement présent à l'autre personne à moins de la regarder et de lui permettre d'en faire autant. Voilà toute la question! Il est difficile de regarder l'autre personne parce que nous

Se regarder dans les yeux, c'est lire jusqu'au fond l'un de l'autre

voyons à l'intérieur d'elle, et nous lui refusons l'intimité qu'elle aurait à voir aussi en nous! Les yeux sont le miroir de l'âme et c'est pourquoi, en règle générale, nous les détournons.

Pour une bonne relation de couple, nous avons besoin de nous voir dans les yeux. Nos yeux nous permettent de saisir bien des choses que nos oreilles ou nos mains avaient ignorées. Le contact visuel nous permet d'être plus personnel, plus conscient de l'autre personne et de notre relation.

Vous est-il déjà arrivé, alors que vous conversiez tout bonnement avec quelqu'un tout en effectuant quelque travail ménager, de vous rendre compte tout à coup que l'autre personne est particulièrement troublée? Ce n'est qu'à ce moment que vous devinez que quelque chose ne va pas en elle; vous vous arrêtez net, la regardez droit dans les yeux, et vous concentrez sur elle. Auparavant, vous aviez entendu ses paroles, mais désormais, vous la regardez dans les yeux et vous réagissez profondément à son égard. Cela crée toute une différence.

Étudiez votre style de conversation entre vous. Vous regardez-vous souvent? Tout comme nous avons découvert que nos mains sont habituellement affairées ailleurs que sur notre bien-aimé, de même nos yeux le sont probablement aussi. Nous ne faisons sans doute pas d'effort conscient pour éviter de regarder l'autre personne, sauf lorsque nous sommes troublé, ou que nous ne voulons pas qu'elle voie ce qui se passe en nous; alors nous évitons son regard.

Parce que nous sommes très occupé, nous devons faire un effort délibéré et conscient pour nous arrêter et regarder l'autre personne. Lorsqu'il s'agit d'une conversation ordinaire, nous sommes occupé à autre chose, et souvent nous tournons le dos à l'autre personne.

Ce n'est pas essentiel d'être toujours près l'un de l'autre, de se tenir par la main ou de se regarder dans les yeux pour se parler. La conversation ordinaire nous permet tout de même plus de liberté; mais une relation mari et femme demande une communication plus approfondie. C'est à nous de décider de bâtir notre genre de communication et de le vivre au jour le jour.

Nous ne devons pas attendre qu'un problème sérieux naisse entre nous. Car alors, notre relation sera affectée par des circonstances ou des événements extérieurs. Il faut commencer dès maintenant, car la chose la plus importante, c'est d'apprendre à aiguiser notre conscience l'un de l'autre. En accordant la priorité à notre relation, il nous faut accorder du temps tous les jours à cette communion mutuelle, en étant conscient de notre langage gestuel, en nous touchant et en étudiant l'âme de l'autre.

Vos sujets de conversation   *Votre réponse :*
sont-ils différents
lorsque vous vous touchez ?

Plus nous sommes conscients l'un de l'autre, plus le sujet de conversation tend à être personnalisé. Un fait courant ou un principe peut prendre une allure personnelle, servir de plate-forme d'où on peut regarder dans les yeux de l'autre.

Lorsque nous sommes entièrement attentifs l'un à l'autre — mains, yeux, bouche, oreilles — nous sommes sensibles l'un à l'autre. Nous sommes moins objectifs et plus subjectifs. Nous faisons preuve de plus d'attention, nous réagissons davantage. Nous insistons moins sur la nécessité de nous faire comprendre, pour mieux accepter d'écouter l'autre.

Lorsque nous ne nous touchons ni ne nous regardons, nous avons tendance à nous séparer l'un de l'autre. Nous demeurons absorbés par notre propre point de vue. Lorsque nous nous touchons et nous regardons, le principal sujet de conversation demeure « nous ». C'est notre relation qui reçoit toute l'attention. Nous devenons conscients de l'importance de notre relation l'un avec l'autre.

**Quand vous êtes-vous
effleuré le visage
pour la dernière fois ?**

Votre réponse :

Il arrive que ce sont les choses les plus simples qui sont les plus significatives. Les amoureux accordent une importance particulière à tracer mutuellement les traits de leur visage, du bout du doigt. Ce geste a un effet profond sur la personne touchée et sur la personne qui touche. Nous oublions tout le reste et nous nous concentrons sur nous-mêmes.

Sans doute nous jugeons-nous des amoureux peu talentueux, car nous croyons qu'il nous faudrait être doués de l'imagination d'un génie ou du talent d'un poète pour exprimer notre amour en termes éclatants. Pourtant, pour aimer, il faut en réalité bien peu d'imagination ou de génie. Ce sont nos mains qui servent de meilleur moyen d'expression.

Accordez-vous quelques minutes, installez-vous confortablement ensemble et dessinez réciproquement vos visages, en les effleurant du bout de vos doigts. Vous vous séparerez avec le souvenir de l'autre gravé dans votre cœur. Vous avez imprimé votre identité dans votre conjoint, et assumé la sienne en retour.

Lors des fréquentations et au début de votre mariage, vous aviez une sorte d'instinct l'un pour l'autre qui vous amenait à réaliser toutes sortes de choses merveilleuses. Avec les années, vous les avez abandonnées, refusant à vos instincts de s'exprimer parce que vous croyiez cette étape révolue. Il ne faut pas le croire. Ces touchers amoureux électriques, qui jadis vous procuraient tant d'excitement et d'emportement, ont toujours leur signification : ils marchent encore !

Accordez-vous une « pause-toucher » de temps à autre et dessinez réciproquement vos visages. Avec le temps, vous vous améliorerez de plus en plus.

Êtes-vous capables de vous regarder dans les yeux l'un de l'autre ?

Votre réponse :

Les couples affirment souvent que le meilleur baromètre de leur relation, c'est leur sexualité. Sans aucun doute, la sexualité constitue un bon baromètre du mariage, mais il existe d'autres moyens d'évaluer l'état d'une relation.

L'un d'eux consiste à se taquiner. Lorsque nous sommes réellement intimes, lorsque nous faisons l'expérience l'un de l'autre en profondeur et de manière significative, nous avons tendance à nous taquiner beaucoup. On constate beaucoup de jeux affectueux entre les deux partenaires. Ces jeux ne cachent aucune mauvaise intention. C'est une affection honnête et joyeuse que nous partageons par l'entremise de nos fantaisies particulières. Nous célébrons le caractère unique de notre relation au moyen d'une attention enveloppante et amoureuse.

Néanmoins, le meilleur des baromètres, c'est de se regarder, ou non, dans les yeux. Lorsque nous sommes satisfaits et heureux l'un de l'autre, nous cherchons à voir dans l'autre. Certains jours, ce n'est peut-être pas le cas. Pour vérifier rapidement l'état de votre relation avec votre conjoint, dès maintenant, arrêtez-vous quelques instants et regardez votre conjoint droit dans les yeux. Cette démarche entraîne souvent un fou rire, quelquefois un brin de conversation pour interrompre l'envoûtement, ou un effort pour porter le regard dans une autre direction. Si cela se transforme en concours pour fixer l'autre, recommencez après une courte étreinte et un baiser.

C'est comme si
je sculptais ton visage
avec mon doigt!

Dans les cas où nous nous sentons vraiment intime, nous déversons notre véritable personnalité par le regard et nous attirons à nous l'autre personne. Si nous hésitons à nous regarder l'un l'autre, il faut se demander pourquoi. Nous n'éprouvions jamais de difficulté à le faire pendant nos fréquentations. En fait, il nous était même difficile de regarder ailleurs que dans les yeux de notre bien-aimé. Nous avions ce « regard sentimental » dont les gens parlent. Le meilleur de notre relation ne résidait pas dans nos paroles mais bien dans la profondeur de nos regards. Notre communication était profonde. Si, aujourd'hui, nous jugeons qu'elle n'est pas nécessaire parce que nous l'avons fait tant de fois dans le passé et que nous nous connaissons si bien, alors, nous commettons une grave erreur.

En nous regardant dans les yeux, nous révélons l'état de notre relation et nous pouvons, ainsi, approfondir notre intimité.

La principale clé d'une relation conjugale réside dans la communication. Point n'est besoin de chercher des attraits extérieurs pour raviver notre mariage et nous satisfaire pleinement. Notre bonheur ne dépend pas de l'endroit que nous habitons, de notre situation financière, de la réussite de nos enfants, des lieux qu'il nous est possible de visiter en vacances, ou de nos amis. Toutes ces choses sont importantes, mais la preuve que notre mariage a réussi, c'est le niveau de communication qui nous unit. La communication dans un mariage devrait être plus intime que celle que nous entretenons avec un parent, un ami ou une connaissance. Il y a plus que les relations sexuelles entre nous. Nous ne touchons pas les autres de la même manière que nous nous touchons tous les deux. Nous ne regardons pas n'importe qui comme nous regardons notre bien-aimé. Et la raison en est bien évidente : nous ne sommes appelé à connaître personne aussi profondément que notre conjoint. C'est pourquoi nous pouvons accorder à notre mari ou notre femme plus que quelques moments d'intimité, à l'occasion ; nous pouvons traiter notre conjoint mieux qu'une simple connaissance. Toute l'allure de la communication est différente entre un mari et sa femme. Profitons donc pleinement de cette différence !

DE QUOI PARLE UN COUPLE?

*Le plus beau sujet de conversation
pour un couple
c'est de se dire et se redire
son amour.*

Qu'est-ce qu'un bon mari ?
Qu'est-ce qu'une bonne épouse ?

Votre réponse :

Vous pourriez avoir une discussion intéressante, ou même un débat, pour déterminer ce qui constitue un bon mari ou une bonne épouse ! Ce sujet se prête bien aux conversations entre couples. Chacun a déjà une opinion assez précise sur la réponse correcte à cette question. Le point intéressant, c'est que chaque femme croit savoir assez clairement ce qu'est un bon mari, et chaque homme a une conception assez inébranlable sur les qualités d'une bonne épouse.

Nous sommes beaucoup plus difficiles pour les qualités de notre conjoint que pour les nôtres!

Les qualités d'un bon mari et d'une bonne épouse varient naturellement selon les diverses régions du pays, l'héritage ethnique et l'âge. Ainsi, ce qu'on croit être l'épouse idéale dans le nord n'est pas exactement la même chose que dans la ville de Montréal. Une personne élevée dans un contexte italien concevra son conjoint d'une manière différente de celle élevée dans un contexte chinois. Une personne de 65 ans ne décrira pas le conjoint idéal comme celle qui en a 23. Le groupe familial composé du mari, de l'épouse et de l'enfant, demande des qualités différentes lorsqu'il est également composé de tantes, d'oncles et de grands-parents. N'est-ce pas un sujet de conversation approprié aux couples?

Bien qu'un mariage moderne les jugerait dépassées, nous recherchons toujours chez le mari les qualités de stabilité, le sens des responsabilités, une certaine initiative, une bonne direction et de la force. Nous recherchons chez l'épouse des qualités de considération et de compassion; nous souhaitons qu'elle manifeste ouvertement son enthousiasme et ses déceptions.

Nous aimons qu'un mari s'intéresse à fournir à sa famille un logement convenable, de même qu'à ses enfants, une bonne scolarité. Nous nous attendons à le voir jouer à la balle avec ses fils. Nous souhaitons qu'il puisse donner à ses enfants les conseils nécessaires. En outre, nous espérons qu'il sera bon bricoleur, capable de réparer la tuyauterie et la lessiveuse défectueuses, de poser les contre-fenêtres, et d'effectuer les petits travaux nécessaires dans la maison. Nous cherchons en lui un protecteur lorsque des bruits étranges se font entendre durant la nuit. Lorsque quelque mésentente naît avec le voisin ou un commerçant, c'est normalement le mari qui est appelé à tout régler. On veut qu'il soit bon voisin, agréable, qu'il ne se compromette pas trop où que ce soit, mais qu'il ait tout de même son mot à dire au besoin. Nous aimons également qu'il participe activement à une organisation religieuse ou municipale, comme pompier bénévole ou comme entraîneur pour une équipe juvénile. En outre, on s'attend à ce qu'il excelle dans le poste qu'il occupe, en suivant des cours additionnels, en étant membre d'une association professionnelle, en lisant les revues appropriées, ou en acquérant plus d'expérience.

Nous voulons qu'une épouse soit bonne ménagère, capable de tenir maison, de faire la cuisine et sans doute d'occuper un emploi à temps partiel. Elle doit aimer les enfants et être au fait des plus récentes méthodes pédagogiques. Elle doit s'y connaître en décoration d'intérieur et savoir équilibrer les besoins familiaux. Nous aimons qu'une épouse soit sociable, qu'elle sache conserver la bonne réputation de la famille dans le voisinage et dans la communauté. De même, nous voulons qu'elle représente un atout dans l'entreprise de son mari. Voilà un autre bon sujet de conversation entre couples.

Nous voulons que l'intérêt du mari soit centré sur son travail et sur les affaires. Nous acceptons qu'il soit un sportif de piètre envergure, qu'il ne s'intéresse pas à la télévision, qu'il ne soit pas habile avec un outil et qu'il ne réussisse pas très bien à son passe-temps favori. On lui permet même de se sous-estimer lui-même, obligeant sa femme à lui redonner confiance. C'est le mari qui conduit l'automobile, c'est lui qui se plaint des soucis d'argent, qui voit au bon comportement des enfants et aux activités de sa femme, surtout en matière de sexualité. C'est lui qui est appelé à donner du piquant à la vie et à distraire sa femme de la monotonie quotidienne.

Nous permettons à une femme de parler longuement au téléphone. Elle a droit à une certaine sensibilité, et son mari s'y engage à ses propres risques. Nous l'encourageons à assumer le rôle de directeur social de sa famille. On juge que les enfants et la maison lui appartiennent davantage qu'à son mari.

Nous pourrions discuter très longuement sur tous ces sujets, mais les échanges à propos du conjoint idéal seraient alors toujours centrés sur ses activités et son rôle, et non sur sa relation avec l'autre. Il nous faut insister sur la signification profonde du mari et de l'épouse, de l'homme et de la femme qui s'appartiennent réciproquement, engagés, totalement alertes et réagissant l'un à l'égard de l'autre. Autrement, on rate entièrement le cœur de la relation à deux. Il peut nous arriver à l'occasion de mentionner à l'autre notre sensiblité à son égard ou la conscience qu'il a de la nôtre, mais si nous commençons à parler de tout ce que nous devrions accomplir l'un pour l'autre, du comportement que nous devrions adopter à l'égard des enfants, des voisins, des relations de travail et du monde en général, nous faisons du mariage une véritable entreprise. Il devient une entreprise « parents », un petit groupe axé sur des activités sociales, ou encore une relation agréable entre deux personnes qui s'entendent bien et qui partagent le même lit. N'importe quel couple pourrait assumer une relation de ce genre, qu'il soit marié ou non. Le mariage pourrait s'avérer commode, mais il ne serait pas indispensable.

Le problème fondamental réside dans le fait qu'après quelque temps de mariage, notre conception du mariage a changé.

Au début de nos fréquentations, nous souhaitions tout simplement être en compagnie l'un de l'autre. Nous souhaitions vivre ensemble au-delà du plan physique; nous voulions que nos deux personnes communient entièrement. Nous attendions du mariage de grandes choses. Nous y voyions la possibilité d'être engagés l'un envers l'autre et de consacrer tout notre temps ensemble.

Mais les années ont passé et désormais cette conception du mariage nous échappe. Nous nous disons: « Sans doute avions-nous une conception erronée du mariage. Il est tout à fait impossible de vivre comme nous l'avions imaginé. La vie continue et c'est sérieux. Nous avons toutes sortes de responsabilités et nous sommes tout simplement dans l'impossibilité d'être souvent ensemble. Nous devons réaliser des choses importantes et significatives. Il y a les enfants à élever, les comptes à payer et un monde à transformer. »

Pourtant, la relation mari et femme a pour visée une relation de « couple ». C'est ainsi qu'elle a commencé. Mais que lui est-il donc arrivé? Bien sûr, nous nous aimons encore et nous estimons que l'autre est la personne la plus importante dans notre vie. Nous tenons à discuter de certaines choses ensemble, pas tellement pour profiter de notre unité mais plutôt pour obtenir collaboration et appui sur le sujet qui nous intéresse.

Lorsque vous voyez le mot « mari », automatiquement, vous pensez « mariage » et « épouse ». Il en est de même du mot « épouse » : vous pensez évidemment à « mariage » et à « mari ». Notre état de mari ou d'épouse devrait être le cœur de notre vie, et non pas le poste que nous occupons, notre vision du monde, ou l'avenir de nos enfants. L'état de mari ou d'épouse constitue une partie de notre identité. À mesure que notre vie s'écoule, notre mariage devrait être centré sur notre unité. Il ne devrait pas être en fonction de ce que nous faisons, d'une activité dans laquelle nous sommes engagés. Car peu importe comment nous la jugeons, cette activité n'est pas le but de notre union comme couple. Nous devons donner sa valeur à l'union que représente notre mariage. Nous devons constituer le centre d'attraction de nos vies.

Nous avons tendance à considérer l'état de mari ou d'épouse comme une responsabilité que nous avons assumée. Il nous faut tenir compte des opinions de l'autre dans les décisions que nous prenons, pour le présent et aussi pour l'avenir. Pourtant, notre mariage n'est pas l'unique préoccupation de notre vie. La vie comprend plusieurs autres aspects. Nous insérons le mariage parmi ces différentes facettes au lieu d'adapter notre vie tout entière au mariage. En fait, nous croyons que cette dernière idée est quelque peu égoïste; nous croyons qu'il existe des ambitions plus importantes que le mariage dans la vie. Nous refusons d'accepter des contraintes à cause de notre mariage. Nous jugeons avoir plus de talent que pour le mariage seul, être plus larges d'esprit, avoir une contribution plus importante à apporter au monde. Le mariage nous apparaît comme étouffant.

Un instant ! Le monde ne pourrait connaître plus grand bonheur ni meilleure stabilité qu'en s'assurant que chaque couple s'engage dans un mariage complet. Nous pourrions passer notre temps à chercher la signification et la réalisation de notre vie en étant simplement « significatifs ». Nous pourrions aussi nous engager dans des activités valorisantes et n'avoir toujours qu'un cœur bien pauvre, cherchant désespérément quelque chose de plus, alors qu'une personne qui s'engage dans un mariage complet y trouve une merveilleuse réalisation de soi.

Un mariage ne peut pas constituer une activité secondaire, un passe-temps. Il ne peut pas être agréable s'il n'ab-

Un p'tit snack qui prépare notre tête-à-tête

sorbe pas notre être tout entier. L'expérience la plus cosmique qu'il peut nous être donné de vivre, c'est un amour véritable l'un pour l'autre. Il n'y a pas pour nous de plus grande ambition.

Des notions fausses et une propagande erronée amènent les gens à vivre leur mariage de manière insignifiante. Un mari et sa femme ne doivent pas nécessairement pouvoir répondre à tous leurs besoins. *Ils devraient mettre leurs talents et leurs aptitudes au service de leur relation amoureuse. En ce faisant, leur mariage reçoit plus que les restes, il est super!*

Le couple n'attribue pas l'importance qu'il devrait à sa relation, en partie parce qu'il a peur. Chacun se dit: « Et si l'autre me laissait tomber? » « Qu'arrivera-t-il s'il ne réagit pas de la manière désirée? » Et alors, en guise de protection, ils se créent toutes sortes de portes de sortie et de soupapes de sûreté, comme une carrière, un passe-temps, les enfants. Et, de plus, ils jugent que c'est beaucoup plus facile de poser, à l'occasion, un geste aimable envers l'autre que de vivre une relation conjugale approfondie.

En outre, toutes leurs activités leur fournissent amplement de sujets de conversation. Ils ne se rendent même pas compte qu'ils devraient parler d'autre chose, de choses plus importantes.

Voilà un exemple parfait de ce que c'est qu'avoir une chose droit devant les yeux et de ne pas la voir. *Notre véritable vocation, c'est notre amour l'un pour l'autre!* À partir de cela, nous nous attachons aux enfants, à la famille, aux voisins et au monde. Notre véritable réalisation dans la vie ne consiste pas à intégrer le monde à notre union, mais bien d'offrir au monde notre relation elle-même. Il ne s'agit pas de nourrir une passion pour l'humanité, mais plutôt d'être attentifs l'un à l'autre! Il ne s'agit pas d'élever des enfants, il s'agit de prendre plaisir à être ensemble! Il ne s'agit pas non plus d'assurer la sécurité du conjoint, mais plutôt de lui assurer ma présence! Il ne s'agit pas enfin de vivre l'un près de l'autre, pendant des années, en faisant tout ce qu'un mari et sa femme doivent normalement faire, mais bien d'être absorbés l'un par l'autre!

Quel sujet de discussion　　　*Votre réponse:*
votre conjoint et vous
jugez-vous le plus important?

Pour un homme d'affaires, le sujet le plus important, ce sont les affaires. Pour un médecin, le sujet le plus important, c'est la médecine. Ainsi, de quoi est-ce qu'une mère — en tant que mère — devrait parler? De ses enfants, bien sûr. De même, il devrait être évident que le sujet de conversation le plus naturel et le plus important, entre un mari et sa femme, devrait être leur union matrimoniale, leur vie de couple.

Le « nous » — notre relation interpersonnelle, l'importance que nous avons l'un pour l'autre, nos réactions, comment nous nous écoutons et avons conscience l'un de l'autre — constitue le sujet de conversation le plus important entre nous. Bien sûr, il nous faut parler des activités de la journée, des responsabilités familiales, des attitudes à l'égard du patron, des besoins des enfants et de nos réalisations; mais la conversation la plus significative demeure ma situation par rapport à toi, la vision que tu as de moi, mes sentiments pour toi et ce qui peut m'aider à mieux te comprendre. À mesure que nous vivons et grandissons ensemble, quelque chose de bon se produit en nous.

Un des engagements les plus importants du mariage consiste à communier l'un à l'autre, le plus intimement, le plus profondément et le plus totalement possible. Nous devons nous dévoiler entièrement l'un à l'autre, à la fois sur le plan physique, mental, psychologique et spirituel, et nous devons être entièrement ouverts à cette révélation que l'autre nous offre. L'absence de communication peut amener un homme à tout faire correctement, sans être pour autant un bon mari, et une femme à s'épuiser pour bien remplir ses responsabilités, sans être pour autant une bonne épouse. Pourtant, s'ils sont constamment sur la même longueur d'onde, s'ils communient entre eux au sens le plus entier et le plus profond, ils réalisent un des engagements les plus importants qui unissent le mari et la femme.

De quoi parlez-vous ensemble?   *Votre réponse:*

Les enfants, notre travail, la parenté, les programmes de télévision, sont des sujets de conversation probables entre nous; et sans doute parlons-nous du sujet qui nous préoccupe le plus à un moment donné. Nos conversations ne sont pas prévues d'avance, nous parlons tout simplement au hasard et le sujet que nous abordons dépend surtout de ce qui nous préoccupe le plus, chacun de notre côté.

Je choisis un sujet selon l'effet qu'il produit sur moi. Sans doute s'agit-il d'une chose qui m'inquiète ou qui m'attire, en rapport direct avec moi. Voilà une manière de faire propre aux gens non mariés. Elle est égoïste. J'ai peut-être l'impression que j'aborde le sujet parce que je recherche ton aide, ton avis ou ton conseil, ou encore (et c'est plus probable) je veux que tu fasses quelque chose pour moi, et je cherche à modifier ton comportement. Et toi, tu fais la même chose. Malgré tout cela, le point fondamental de tous nos sujets de conversation tient à notre égoïsme. Nous sommes deux, nous efforçant chacun de mettre en valeur nos intérêts personnels.

Il arrive que nous choisissons un sujet de conversation uniquement pour combler le silence. Nous parlons des événements rapportés dans les journaux, du temps qu'il fait ou qu'il fera, des réalisations de tous et chacun. Ou encore, nous exprimons une série de pensées sans lien aucun, à mesure qu'elles surgissent dans notre esprit.

À l'occasion, on pourrait croire que notre conversation tient du spectacle, pour éviter que l'autre ne s'ennuie. C'est pourquoi, nos sujets de conversation couvrent les affaires, le budget, l'impôt, la discipline, les rapports sociaux avec nos familles, les potins du voisinage, les vacances, la maison, la retraite, les décisions à prendre: tout et rien.

Dans tout mariage, même le plus tranquille, chacun s'est vu déverser des milliers de mots, avec les années. Une proportion relativement réduite de ces mots a trait à notre unité. Nous échangeons entre nous comme des copains. Nous ne nous parlons pas comme mari et femme. Il est temps que nous concevions une nouvelle perspective, une qui soit axée sur nous!

Denise avait toujours détesté parler de la mort, et elle en avait encore moins fait l'expérience sur le plan pratique. Ainsi, chaque fois qu'elle et son mari Pierre allaient à un salon funéraire, ce dernier s'efforçait d'aborder des sujets superficiels et non compromettants sur ce plan. Il s'imaginait qu'une bonne nuit de sommeil la calmerait et qu'elle s'en remettrait.

À la mort d'un voisin, Denise décida de faire face à la musique. En prenant leur tasse de café avant de se mettre au lit, Denise dit à Pierre: « Écoute, la même chose se produit chaque fois que quelqu'un meurt. Nous contournons le sujet. Je n'aime pas en parler parce que cela me trouble, et tu t'efforces de me distraire. Pourtant, tu ignores pourquoi je suis troublée et tu ne sais pas ce qui se passe en moi. Par contre, moi je n'ai aucune idée de ce que tu penses de la mort. Il faut que nous en parlions. Je ne veux pas que tu me réconfortes. Je ne veux pas non plus que tu me donnes les réponses. Et je refuse que tu me considères comme un problème. Tout ce que je demande, c'est que tu m'écoutes et que tu t'efforces de comprendre un peu ce que je ressens. Et j'aimerais aussi que, de ton côté, tu fasses la même chose. »

Pierre n'était pas convaincu que l'idée de Denise était bonne. Il savait à quel point la mort la troublait, mais il voyait bien qu'elle était déterminée à en sortir.

« Nous disons que nous connaissons tout l'un de l'autre et que nous nous comprenons bien. Pourtant, en ce qui concerne la mort, tu ne sais rien de moi parce que je ne me suis jamais ouverte sur ce sujet. Ce qui m'inquiète de la mort, c'est que chaque fois que je lis un avis de décès, c'est ton nom que je vois. Chaque fois que j'assiste à des funérailles, c'est toi que j'imagine dans le cercueil. Et j'entrevois toutes ces années de solitude sans toi. Je ne veux pas vivre sans toi. Tu es toute ma vie, et je suis convaincue au plus profond de mon cœur que tu décéderas avant moi. Je ne peux pas tolérer la pensée de ne plus entendre ton pas sur les marches du porche, ou de voir la chaise vide en face de moi. Et comment pourrais-je ne pas dormir sans toi à mes côtés? Ma vie est tellement liée à la tienne, que ce ne serait plus une vie sans toi. »

Pierre était renversé. Il avait toujours pensé qu'il serait le premier à partir, et il était tout à fait satisfait de savoir que les choses se passeraient ainsi. Mais il n'avait pas pensé à se mettre dans la peau de Denise. Maintenant qu'il le faisait, il ressentait un peu de cette solitude macabre qui la terrifiait tant. Il frémissait d'horreur. Denise voyait ce qu'il ressentait et elle savait qu'il éprouvait la même sensation qu'elle. Ils s'enlacèrent bien fort. Pour les deux, c'était un véritable moment de compréhension mutuelle. « Tu m'as aimé de bien des façons, affirma Pierre, mais je n'ai jamais tant ressenti ton amour qu'en cet instant. »

Parlez-vous souvent de vous deux ?

Votre réponse :

La plupart des gens parlent d'eux-mêmes : je parle de moi ; tu parles de toi. Mais nous ne parlons pas beaucoup de « nous ». C'est probablement parce que nous avons permis à nos intérêts de dériver ailleurs. Nos buts dans la vie ne sont pas aussi centrés sur nous que nous le croyons. Nous pouvons déterminer ce qui nous intéresse le plus par le choix de nos sujets de conversation. Nous croyons peut-être que nos sujets de conversation sont choisis au hasard, pourtant, ils sont conformes à un modèle bien précis. Un garçon qui parle toujours de sports s'intéresse aux sports ; une fille qui parle toujours des garçons est « malade » des garçons.

Nous croyons qu'une personne qui parle toujours du même sujet à une réunion mondaine est assommante. Elle ne peut parler que du seul sujet qui l'intéresse en ce monde. Bien sûr, si son sujet nous intéresse, elle tient une conversation brillante !

Ainsi, de quoi parlons-nous ? En étudiant nos conversations et en prenant note de la périodicité d'un sujet ou d'un groupe de sujets, nous pouvons en arriver à découvrir où sont nos véritables intérêts. Un homme peut dire qu'il ne vit pas en fonction de son travail. Peut-être veut-il dire qu'il ne fait pas d'efforts pour obtenir de l'avancement. Pourtant, il parle constamment de son travail, comme il le déteste, quelles mauvaises conditions il doit endurer. En fait, il vit autant en fonction de son travail que celui qui parle de son travail avec enthousiasme.

Il en est de même pour la femme. Sans doute se croit-elle toute différente de sa mère, qui était accaparée par ses enfants. Pourtant, elle parle des enfants autant que sa mère le faisait. Elle se plaint sans doute à leur sujet en disant qu'ils

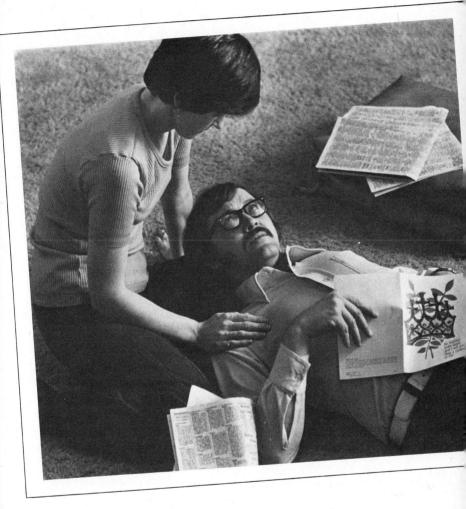

Ce soir on ne parlera pas
de ton travail, ni des enfants
ni de l'argent

la confinent à la maison et l'empêchent d'aller de l'avant comme elle le souhaiterait, mais elle demeure aussi centrée sur ses enfants que la femme qui en est parfaitement satisfaite.

La principale raison pour laquelle nous choisissons de tant parler de nos enfants ou d'autre chose, c'est que cela nous évite de devoir nous compromettre profondément. Évidemment, nous sommes près de nos enfants, nous sommes responsables d'eux, ce qui nous met en quelque sorte à leur service, peu importe à quel point nous prônons la démocratie. Bien que nous soyons dépendants de notre travail et très intéressés par lui, il demeure un sujet indépendant de nous.

Parce que nous nous aimons tous les deux et que nous ne voulons pas vivre séparément, il nous faut intégrer ce « nous » dans nos conversations, et en prendre l'habitude ! Nous aurons à nous compromettre souvent à l'avenir. Il faudra du courage pour aborder souvent ce sujet de notre unité comme couple. Pourtant, c'est bon et agréable de le faire, et cela en vaut la peine !

Pourquoi   *Votre réponse:*
ne parleriez-vous pas
de vous deux ?

Lorsque notre relation de mari et femme nous absorbe, nous ne pouvons faire autrement que d'en parler, et nous nous révélons de plus en plus l'un à l'autre à mesure que nous parlons. Nous sommes conscients des différentes nuances que présente notre relation. Nous sommes sensibles à ce qui se passe en nous. Lorsque nous n'accordons pas beaucoup d'attention en paroles à notre relation comme couple, nous ne sommes guère plus que des compagnons, des partenaires ou des connaissances agréables. Moins nous parlons de « nous », moins nous nous compromettons l'un à l'égard de l'autre.

Nous avons peut-être des conversations brillantes, mais lorsque nous ne parlons pas de nous et que nous traitons d'autres sujets, nous développons notre perception de ces sujets. Nous cherchons à développer nos talents et nous réagissons à ce qui nous apparaît comme central dans notre vie. Si ce sujet, c'est « nous », alors nous ferons l'expérience d'une intimité profonde; sinon, c'est autre chose qui reçoit notre attention et nous serons moins intimes.

Anne et Georges reconnaissaient que leurs enfants étaient leur principale préoccupation. Après avoir admis que leur état de couple devait passer avant tout, ils ont décidé de ne parler des enfants qu'en cas de nécessité. Ils n'avaient pas éliminé toute allusion à eux, mais leur rapport de mari et femme était primordial dans leurs conversations. À mesure que les jours s'écoulaient Anne et Georges constataient un changement dans leur conscience l'un de l'autre, et ils vivaient en intimité comme jamais auparavant. Ils commencèrent donc à perfectionner leurs véritables talents de mari et femme. Ils commencèrent à faire s'épanouir leurs qualités d'amoureux.

Lorsque nos intérêts résident ailleurs que dans notre relation de couple, notre mariage connaît des journées monotones dans un climat de grisaille. Les corvées nous accablent et nous nous demandons si tout cela en vaut vraiment la peine. « Qu'ai-je donc à tirer de tout cela ? » nous demandons-nous.

Lorsque chacun aborde les sujets qui l'intéressent, il fait preuve d'égoïsme. Pourtant, parce que nous sommes des gens honnêtes et raisonnables, nous nous efforçons d'accorder à l'autre le même temps qu'il nous accorde, et nous nous réjouissons lorsque nos intérêts concordent quelque peu. Remarquez bien : il existe un sujet de conversation où nous pouvons participer également, et où chacun s'engage totalement : ce sujet, c'est nous deux ! Nous pouvons y voir un intérêt aussi intense, une absorption aussi dense.

Lorsque nous nous accaparons l'un l'autre, tout va bien.

Marie n'arrivait pas à trouver les mots pour exprimer ses sentiments jusqu'au jour où elle entendit la chanson de Peggy Lee intitulée « Is That All There Is? » (C'est tout ce qu'il y a?) sur la sensation de vide, et elle savait que c'était vrai d'elle et de son mari Robert. Marie amorça timidement le sujet de leur mariage. « Lorsque je rentre à la maison, dit Robert, nous réglons la question de notre mariage. Je vérifie le courrier, je m'informe des enfants, je parle de nos obligations sociales. Je te raconte ce qui s'est passé au bureau. Et nous parlons peut-être d'un projet de vacances ou de l'achat d'une nouvelle automobile. » Il respira profondément. « Nous sommes de vieux mariés bien monotones. » Marie acquiesça. « Nous pourrions peut-être servir de modèle-type du couple marié. Même lorsque nous sortons pour une soirée, nous ne nous éloignons pas vraiment. Nous n'arrivons jamais à être « nous ». Nous ne faisons que parler des choses qui entourent notre vie. »

Le lendemain, ils appelèrent une gardienne et ils sortirent, sans les enfants, uniquement pour arriver à dépasser le stade des « choses » dans leur conversation.

Ce fut un repas un peu curieux. Ils constatèrent qu'ils avaient pris tellement l'habitude de parler de tout, sauf d'eux-mêmes, qu'il y eut des silences embarrassants. Ils s'étonnèrent de constater comme ils avaient peu de choses à se dire, sauf les éternels sujets: enfants, maison, travail. Pendant leurs fréquentations et au début de leur mariage, ils ne pouvaient pas s'arrêter de parler d'eux-mêmes. Ils passaient la journée à la plage ensemble, mais dès qu'il l'avait ramenée chez elle, il lui téléphonait encore et ils parlaient sans fin.

Après une dernière tasse de café, Marie ayant presque abandonné la partie, Robert lui dit ce qu'il pensait de la vie après cinq années de mariage. Ils se dirent les petites et grandes différences qu'ils ressentaient maintenant face à la vie. Comme ils avaient du chemin à faire avant de se rejoindre!

Jean était comptable et travaillait pour une grande firme d'Ottawa. Un matin, en se rendant au travail, il se sentit nerveux. Il avait trouvé dans sa poche une note de son patron: « Me voir demain, en entrant au bureau. »

Jean se rendit directement au bureau de son patron. M. Charpentier n'y alla pas par quatre chemins: « J'aime que mes employés sachent ce que je pense d'eux. Je t'accorde une augmentation de $50 par semaine, parce que je crois que tu as une tête sur les épaules. Bon nombre de gars font tout simplement leur travail, mais je sais que toi, tu mets tout ton cœur dans notre entreprise. Il arrive quelquefois que les épouses en demandent trop à leur mari. Soit que ta femme soit raisonnable, soit que tu saches la mettre à ta main. Évidemment, plus tu auras de l'avancement, meilleure sera la situation pour elle avec le temps. Continue comme ça et je t'assure que tu iras loin. »

Jean était tout impatient de téléphoner à Lucie pour lui annoncer son augmentation de $50 par semaine. Ils avaient besoin de tellement de choses. D'abord, ils remplaceraient la vieille lessiveuse. Ensuite, ils pourraient s'acheter une nouvelle carpette, s'évitant de toujours se prendre les pieds dans la vieille. Ils pourraient même acheter une deuxième automobile, permettant ainsi à Lucie de sortir de la maison plutôt que de devoir y rester toute la journée. Comme il y en aurait des choses !

Il était encore tout étourdi lorsqu'il annonça la nouvelle à Lucie. Elle se dit bien contente, mais il y avait quelque chose dans sa voix que Jean ne connaissait pas. Puis il commença à étudier le genre de vie que Lucie menait. Il ne lui parlait jamais que de son avancement. Bien sûr, ils comprenaient tous les deux qu'il le faisait pour elle et les enfants. Mais il commença à se demander si le jeu en valait la chandelle. Le patron avait bien dit: « avec le temps ». Jean avait employé cette même expression lorsqu'il planifiait leur vie ensemble; aujourd'hui, il se demandait comment ce serait « avec le temps », s'il devait pour cela sacrifier tout le présent. Et lorsque j'aurai atteint le sommet, de quoi parlerons-nous alors? Je traite Lucie exactement comme le patron me traite moi-même. Il est reconnaissant à mon égard dans la mesure où je pense comme lui. Je suis très généreux pour Lucie, mais je l'oblige à vivre à ma façon. Il voulait éclaircir cette question à fond avec elle. Ses mains étaient toutes en sueur. Il n'arrivait pas à croire qu'il était si nerveux. Ils étaient mariés depuis sept ans déjà et tout allait si bien. Mais il n'était pas très certain de la réaction de Lucie. Peut-être se satisfaisait-elle des choses comme elles étaient et ne souhaitait-elle aucun changement. Il l'aida à laver la vaisselle et à donner le bain aux enfants pour qu'ils puissent s'asseoir et se parler le plus tôt possible. Lorsqu'ils furent enfin seuls, il se sentit incapable de parler.

« Lucie, » commença-t-il à plusieurs reprises.

« Mais qu'y a-t-il donc, Jean? S'est-il passé quelque chose de grave au bureau? Je ne t'ai jamais vu dans cet état. »

« Non, ce n'est pas mon travail, Lucie, mais au fond, peut-être que ce l'est. Je crois que je souhaite devenir plus qu'un homme d'affaires accompli. Plus précisément, je veux avoir plus d'importance à tes yeux. Je commence à voir que mon travail nous domine tous les deux. Le patron m'a dit qu'il croit que je t'ai mise à ma main. Il me parlait comme si nous étions axés sur l'avenir, comme lui et sa femme le sont. Ce qui m'ennuie, c'est qu'au premier abord, il a raison de vouloir que je devienne comme lui, sans tenir compte du présent. Mais à mesure que j'y pense, je ne tiens pas à devenir comme lui, et je ne veux pas que nous soyons comme eux.

« Aide-moi à ne plus parler de mon travail. Je ne tiens pas à être important à cause de ce que je peux t'offrir matériellement. Je veux être important à tes yeux pour ce que je suis, aujourd'hui, maintenant. »

Une larme coula sur la joue de Lucie. « Je n'arrive pas à y croire. J'avais abandonné. Je me disais qu'avec cette augmentation je t'avais perdu à tout jamais, que je n'avais plus qu'à me résigner à grimper l'échelle avec toi. Mais je t'aime tant lorsque tu es simplement toi-même et non pas l'homme d'affaires. C'est bon, prenons le temps d'être nous-mêmes. Je sais que ton travail fait partie de ta vie et j'aime à le partager avec toi, mais tu es tellement plus, et je veux que tu m'appartiennes entièrement. »

Qu'est-ce qui pourrait modifier le modèle de vos conversations ?

Votre réponse :

Notre modèle de conversations s'élabore avec les années, ondulant selon les événements de notre vie. Lorsque nous fréquentions l'école, nous nous intéressions probablement aux travaux scolaires ou parascolaires et à nos fréquentations. Comme couple marié, nous sommes portés à nous concentrer sur les enfants, sur les corvées ménagères, sur notre travail à l'extérieur, ou sur le paiement des comptes. Dans certains cas, mon conjoint sera plus conscient que moi de ce dont je parle, et je serai plus conscient de ce dont il parle, parce que nous connaissons bien nos sujets de conversation. Nous prenons parfois une attitude défensive par rapport au sujet que nous abordons. Nous cherchons à nous excuser. Nous voulons expliquer en profondeur et dire pourquoi nous parlons tant d'un sujet donné. Pourtant, il faudrait être tout simplement honnêtes et reconnaître ouvertement à quel point nous avons tant parlé de tout le reste, et non pas de « nous ». Les conversations de couple ne couvrent pas nos réalisations, notre travail, notre rôle de parents, de voisins ou notre pratique religieuse. Elles sont centrées sur « nous », notre relation l'un avec l'autre: un *époux* (et non pas un homme qui se trouve marié par hasard) et une *épouse* (non pas une femme qui porte un anneau à son doigt).

Le simple fait de savoir où se trouve le problème indique déjà un début de changement. Ensuite, nous pouvons nous demander si oui ou non nous souhaitons être mariés. La question n'est pas de savoir si nous voulons être mariés l'un avec l'autre, elle est plutôt de savoir si nous souhaitons être mariés tout court. Peut-être ne voulons-nous pas être

*Un repas
de grand style
(à la maison)*

qui amorce une conversation
sur _nous deux_,

mariés officiellement; ou peut-être tenons-nous à être mariés devant l'Église. Néanmoins, si nous voulons former « un seul cœur » dans le vrai sens du mariage, il nous faut réellement accorder à notre relation plus d'importance qu'à tout le reste. Ce sont là plus que des belles paroles. C'est plus qu'un proverbe romantique. Ces mots expriment la réalité à laquelle le mariage nous appelle. En passant par la cérémonie du mariage, on ne se donne pas automatiquement le mariage comme priorité essentielle. Ainsi, une femme peut mettre un enfant au monde sans désirer particulièrement élever cet enfant, comme s'il s'agissait d'un simple événement physique. Peut-être même élèvera-t-elle cet enfant par esprit de devoir, mais sans y mettre son cœur. Un homme peut occuper un poste et être compétent, sans pour autant avoir souhaité ce poste ni posséder la formation nécessaire. Il fait son travail parce que le salaire est intéressant ou encore parce que c'est le seul travail qu'il peut trouver.

Si nous voulons que notre état de mari ou d'épouse représente davantage qu'un accident romantique ou une activité secondaire, nous devons prendre une décision honnête et reconnaître que « nous » passons avant tout. Nous ne pouvons pas nous en tirer uniquement avec un vœu pieux ou une résolution pour l'an nouveau. Ce doit être un engagement véritable à commencer à vivre de cette façon. Cette décision est l'élément-clé. Nous avons choisi le mariage. Nous pouvons également choisir de vivre cette relation sur une base quotidienne.

Par exemple, le travail constitue un sujet de conversation habituel entre mari et femme. Lorsque le mari rentre, son épouse lui demande: « As-tu eu une bonne journée? » Et chacun sait que cette question signifie: « Dis-moi ce que tu as fait; raconte-moi les choses extraordinaires qui se sont produites, fais-moi connaître les nouvelles. » Pourtant, cette question « As-tu eu une bonne journée? » devrait signifier « Parle-moi de toi, dis-moi ce qui s'est passé en toi, et raconte-moi ce qui t'est arrivé comme personne durant la journée. »

Les sentiments, les valeurs et les rêves, jouent un rôle très important dans toute conversation qui nous touche, toi et moi, qui affecte notre unité.

L'aspect d'écoute dans une conversation qui « nous » touche devrait être davantage centré sur l'évaluation et la compréhension que sur une réponse ou un nouveau projet.

La décision constitue la première étape mais ensuite, il faut conscience et pratique. Nous devons être conscients que nous nous éloignons du sujet principal « nous », et savoir y revenir. Évidemment, il faut parler d'autres choses, mais on peut le faire assez rapidement, sans jamais en faire le principal sujet de nos conversations. Notre interaction de mari et femme doit être dominante.

Quels prétextes trouvez-vous   *Votre réponse :*
pour ne pas parler
de vous-mêmes ?

Le prétexte logique dont presque chacun se sert pour ne pas faire quelque chose, de nos jours, c'est le manque de temps. Nous consacrons peu de temps même aux personnes qui nous sont les plus chères. Un grand nombre d'obligations et de responsabilités requièrent notre attention. Nous voulons bien parler de nous lorsque l'occasion se présente, mais justement, l'occasion ne se présente pas souvent. Nous nous sentons prisonniers, et nous nous imaginons que, demain, nous aurons assez de temps pour en consacrer l'un à l'autre. Pourtant, demain n'arrive jamais.

Les enfants constituent aussi un prétexte valable. Ils seront avec nous pendant un certain temps seulement. Les enfants tiennent une place importante dans nos conversations : nous croyons n'avoir pas d'autre choix et devoir sacrifier nos conversations préférées pour mieux assumer nos responsabilités envers eux. Lorsque les enfants auront quitté le foyer, alors nous pourrons parler de nous-mêmes.

Ce but bien éloigné n'est qu'un rêve parce que si nous n'avons pas beaucoup parlé de nous pendant vingt ou trente ans, nous n'arriverons pas à le faire, tout à coup, lorsque les enfants nous auront quittés. Il est impossible de changer subitement une vieille habitude de vie. Ce qui se produira probablement, c'est que plutôt que de parler des enfants, nous parlerons des petits-enfants !

Notre travail nous accapare tout autant que les enfants. Richard affirme : « Je me concentre sur mon travail parce que c'est le temps d'obtenir de l'avancement. Au bout d'un certain temps, je pourrai me nicher, et je pourrai faire mon travail sans devoir trop y penser. Alors, je pourrai consacrer plus de temps et d'attention à Pauline et à *nous*. » Mais les choses ne se passent pas de cette façon ! Plus tard, Richard sera accaparé par son régime de retraite, sa pension, la façon d'obtenir un peu plus par-ci, par-là, et par le souci de faire des économies pour les jours où il ne touchera plus de traitement régulier.

Richard et Pauline sont également d'avis qu'il faut penser à la maison. Ils croient qu'après que la question de la maison sera réglée, ils auront plus de temps ensemble pour s'apprécier l'un l'autre. Mais ils n'arriveront jamais à rendre la maison comme ils le souhaitent, parce qu'aussitôt qu'un projet est terminé, un autre retiendra leur attention — et leurs conversations. On peut travailler continuellement à améliorer une maison, puis tout recommencer ensuite parce que ce qui avait été fait au début est déjà défraîchi.

Le plus surprenant de ces prétextes, c'est qu'ils sont parfaitement vrais, mais aussi parfaitement hors de propos ! Le travail, la maison, les enfants, ont leur importance, mais ils ne sont jamais les questions les plus pressantes. Nous sommes, ou plutôt nous devrions être, la question la plus pressante même si aucun problème en particulier ne se présente.

Nous ferions mieux de nous rendre compte que si « nous » n'arrivons jamais à tenir la première place à l'ordre du jour, c'est que nous ne tenons pas vraiment à être importants l'un pour l'autre. Il se peut que, par hasard, nous ne parlions pas de « nous » pendant un jour ou deux, mais lorsque cela se produit presque tous les jours, il faut en découvrir la raison. C'est peut-être que nous nous intéressons davantage aux relations des autres qu'à la nôtre.

Étant donné que nous avons si peu de temps ensemble, comme mari et femme, nous pouvons choisir de consacrer ce temps à parler de ce que nous jugeons le plus important. Nous pouvons décider par exemple que le « nous » aura la part du lion pendant le temps dont nous disposons. Peut-être aussi, certains jours, n'aurons-nous pas beaucoup de temps, mais nous pouvons toujours prendre un peu de temps sur le peu que nous avons. De cette manière, nous n'y perdrons pas entièrement !

Le temps dont nous disposons se présente habituellement par petites tranches et cela crée un problème. Cinq minutes avant le repas du soir ou dix minutes après, ou encore quelques minutes, chemin faisant vers quelque destination. Il est difficile alors d'aborder un sujet quelque peu sérieusement ou en profondeur, parce qu'il n'y a jamais suffisamment de temps pour vider la question. En certaines occasions, nous avons cru n'avoir pas assez de temps pour nous ouvrir l'un à l'autre et parler de nous, et nous nous sommes contentés de parler de tout et de rien. Bien sûr, ce serait formidable de disposer de plusieurs heures à la fois et de circonstances parfaites, les enfants bien tranquilles et en l'absence des autres. Pourtant, si nous voulons vraiment parler de quelque chose, nous trouverons bien le temps, peu importe le reste. Faisons de « nous » un sujet de première importance dès maintenant !

Quels moyens pratiques　　　　　*Votre réponse :*
pourriez-vous prendre
pour parler davantage de vous deux ?

Lorsqu'un mari rentre de son travail, la première chose qu'il fait, c'est de parler de ce qu'il avait à l'esprit pendant qu'il conduisait l'auto, sur le chemin du retour, en train ou en métro, ou en ouvrant la porte. Si son travail, les enfants, la pelouse, l'impôt ou le courrier prédominent dans son esprit, il en fera son sujet de conversation. Il ne se mettra pas à parler tout à coup de sa relation avec sa femme s'il n'y avait pas pensé avant.

Une femme peut être prise par surprise à l'arrivée de son mari, même si elle sait qu'il rentre par le train de 5 h 32 et qu'il ouvre la porte à la même heure tous les jours. Elle veut que le repas soit prêt, elle veut lui dire que la lessiveuse est en panne ou encore elle veut lui raconter ce que tante Jeanne avait à dire au téléphone.

Il n'y a là rien de mauvais en soi. Mais c'est une occasion ratée. Ces instants peuvent être l'occasion de perfectionner une relation, si nous y pensons d'avance. Nous ne songerions pas à acheter une automobile, à trouver un nouvel emploi ou à acheter une maison, sans y avoir longuement réfléchi. Lorsque nous nous présentons chez un agent immobilier, nous avons pensé à ce que nous cherchons de manière à ne pas parler à la légère. Nous nous sentirions un peu idiots de faire autrement. Pourtant, c'est bien la manière dont nous agissons l'un à l'égard de l'autre. Nous disons tout simplement ce qui nous passe par la tête. Nous avons souvent besoin d'un choc pour nous ramener à la réalité, pour consacrer nos sentiments à ce qui est important dans notre vie.

Louise, une amie de longue date, m'écrivait ce qui s'est passé lorsque la mère de son mari est décédée. Elle était morte subitement et, à ce moment, Raymond était devenu comme figé. Plus tard, sur le chemin du retour, Louise avait voulu aborder le sujet, mais elle ne trouvait pas les mots. Puis elle sentit ce que Raymond éprouvait. Elle cherchait quelque chose à dire, n'importe quoi, pour lui enlever ce regard un peu fixe. Elle savait qu'il se retenait, en s'efforçant d'être courageux.

Finalement, ils arrivèrent à la maison. Elle était bien contente d'être arrivée. La randonnée du retour avait été étrange et difficile. Ces quinze minutes lui avaient semblé des heures. Raymond se rendit immédiatement à sa chambre, et Louise, le plus délicatement possible, annonça aux enfants que grand-maman était au ciel. Après avoir couché les enfants pour la nuit, elle pensa que Raymond aimerait une tasse de café. Elle s'affaira à le préparer. Il n'arrivait toujours pas, alors elle se rendit à leur chambre. Elle le vit, assis sur le lit, en sanglots. D'abord, elle n'en croyait pas ses yeux. Elle n'avait jamais vu Raymond pleurer. Elle ne savait pas quoi faire. Elle alla jusqu'à lui, s'assit et prit sa main dans la sienne. Alors, il s'ouvrit à elle: « Je me sens tellement impuissant. Je voudrais crier, je voudrais défoncer les murs. J'aurais voulu pour maman quelques années encore... Il me semble que j'ai perdu une partie de moi-même. Et je me sens coupable aussi. Souvent, je n'ai pas été reconnaissant envers elle. Je souhaiterais lui avoir téléphoné plus souvent. Je regrette que nous ne soyons pas allés lui rendre visite plus souvent avec les enfants. Elle nous envoyait toujours des biscuits spéciaux. Les enfants les appelaient les biscuits « Grand-mère »... Et puis je ne suis pas fier de moi, pour agir si peu en homme; je n'aime pas être si faible. »

Louise sentait son amour prendre de l'ampleur, enveloppant son mari tout entier. Jamais elle ne s'était sentie plus près de lui. Elle appuya la main de Raymond sur son visage et baisa sa main. Elle appuya sa tête sur son épaule, l'entoura de ses bras et le serra bien fort.

Tout le temps que durèrent le deuil et les funérailles fut très précieux pour l'un et l'autre: ils parlaient plus souvent,

*Cela m'a fait du bien
d'aborder avec toi
le sujet de la mort.*

avec plus de profondeur et plus intimement qu'ils ne
l'avaient fait depuis des années. Raymond parla de sa peur
de mourir avant de pouvoir lui offrir à elle et aux enfants

tout ce dont ils auraient besoin pour vivre. Et Louise parla de sa préoccupation constante de préparer les enfants pour une vie bien remplie. Ils s'écoutèrent l'un l'autre, se comprirent et s'aimèrent.

Au lever, nous pensons à ce que sera notre journée. Nous savons le travail qui nous attend au bureau, ce que nous ferons pour les enfants, comme les emmener chez le dentiste, au cours de danse ou au terrain de balle molle, nous savons ce qu'il y a à nettoyer, à cuisiner. Pendant que nous nous affairons à ces corvées, nous pensons à nos projets pour la soirée. Peut-être sera-ce tout simplement une charmante soirée devant la télé. Peut-être rendrons-nous visite à un vieil ami. À mesure que nous faisons nos projets, nous avons une vague idée du temps que nous allons passer ensemble; et lorsque ce temps arrive, nous avons tendance à nous donner d'autres distractions. L'autre personne est présente comme une ombre à l'arrière-plan, et nos yeux se concentrent sur d'autres événements et d'autres personnes. Chaque fois que nous traitons les autres ou nos enfants de cette façon, notre succès est bien pauvre.

Il en est de même d'une relation mari et femme. La quantité de réflexion que nous y mettons traduit l'importance que nous y accordons. Lorsque nous sommes attentifs à ce que nous disons à l'autre, nous pouvons penser à l'effet que nos paroles auront sur notre relation. Je peux dépasser ma pensée et trouver pourquoi tu te réjouiras de savoir qu'on m'a accordé une promotion, ou que nous avons reçu une lettre de ton frère. Cette promotion signifie que nous allons pouvoir payer une gardienne et prendre un repas au restaurant, rien que nous deux. Et la lettre de ton frère signifie que tout va bien et que nous allons pouvoir, à nouveau, ensemble, l'apprécier à sa juste valeur.

Nous pouvons réfléchir sur la façon de mieux nous écouter l'un l'autre, ou d'être plus ouverts et honnêtes sur ce qui se passe en nous. Nous pouvons aussi choisir comme sujet de conversation les différentes manières qui nous permettront d'être plus sensibles l'un à l'égard de l'autre. Voilà les choses qu'il nous faut apprendre à discuter ensemble.

Nous devons nous réserver des périodes précises. Si nous ne le faisons pas, elle ne se présenteront pas d'elles-mêmes. Les jours s'écouleront et nous n'en aurons aucun souvenir. Tant de choses retiennent notre attention que si nous ne nous réservons pas une prériode précise chaque jour, nous raterons toutes les occasions d'être ensemble.

Je connais un couple qui a pris conscience de cette situation. La mère de Bernard a été victime d'une crise cardiaque, et pendant son séjour à l'hôpital, Bernard et Francine se rendirent compte qu'il était temps de faire quelque chose. La malade commençait à retrouver l'usage de la parole, et les médecins avaient confiance qu'elle pourrait recommencer à marcher; mais on savait que, désormais, elle ne pourrait plus vivre seule.

« C'est bien, dit Bernard, faisons des projets. Des projets pour nous. Qu'arrivera-t-il du bureau, des enfants, de la maison, et de maman? Ce sera difficile d'être certains que nous aurons même le temps de nous parler. »

« C'est ça, dit Francine, que dirais-tu d'une demi-heure après la vaiselle, le soir? Mais, entendons-nous: il ne faut pas parler des enfants ou des robinets qui coulent, des comptes ou du bureau. Concentrons-nous sur les sentiments que toi et moi avons éprouvés. »

Bernard et Francine en prirent l'habitude, et six mois après que sa mère eut emménagé avec eux, ils eurent tous deux l'impression que ces échanges étaient la meilleure idée qu'ils avaient jamais eue. « Je ne pourrais pas dire que sa compagnie me plaît toujours, confia Bernard à Francine. Elle s'impatiente avec les enfants et elle essaie de me tenir tête, mais cette demi-heure avec toi semble tout remettre en place. »

Nous pouvons tous trouver une demi-heure lorsqu'il s'agit d'une chose importante. Il se peut que, certains jours, ce ne soit pas possible, mais en règle générale notre mode de vie nous permet de nous réserver 30 minutes, surtout lorsque nous savons y trouver tout le charme qu'elles peuvent offrir! Ces instants sont réservés à nous, non pas aux événements de la journée ni aux conversations superficielles: ils servent à bâtir notre intimité, notre capacité de réagir l'un envers l'autre. Nous voulons approfondir cette capacité qui nous est donnée de construire notre relation amoureuse.

Nous pouvons aussi entraîner les enfants à nous donner ce temps. Nous consacrons de nombreuses heures avec eux, et nous pouvons leur expliquer qu'il y a un temps pour eux et un temps pour nous. C'est important qu'ils puissent reconnaître qu'il existe dans la maison une relation autre que celle de parents! Toute leur raison d'être tient à « nous ». C'est pourquoi ils ont tant avantage à nous voir être « nous » le plus possible. En fait, les enfants nous encourageront à observer ces périodes ensemble. Ils deviendront les protecteurs de ces instants. Ils nous le feront remarquer si nous y échappons, parce qu'ils auront remarqué ce qui se produit lorsque nous n'observons pas ces périodes à « nous ». Ils remarqueront que nous les comprenons moins bien, que nous faisons preuve de moins de patience avec eux, que nous sommes moins tolérants et plus exigeants.

Évidemment, pour arriver à obtenir ces instants, certains sacrifices seront nécessaires, comme décrocher le récepteur du téléphone ou rater notre émission favorite. Mais le jeu en vaut la chandelle.

Certains maris et femmes semblent d'éternels amoureux. Un couple que je connais était sorti célébrer son douzième anniversaire de mariage lorsqu'un autre couple l'aborda. La femme avait une allure de grande dame et l'homme était grand et distingué. Ils félicitèrent Jacques et Hélène et offrirent leurs meilleurs vœux. Tout surpris, Jacques demanda comment ils pouvaient savoir qu'ils célébraient un anniversaire.

« Anniversaire? s'exclama l'homme, mais n'êtes-vous pas en voyage de noces? »

Hélène se mit à rire et Jacques était très flatté. « C'est mieux fait que nous ne soyons pas en voyage de noces, car nous avons une fille de onze ans. »

« Comme c'est merveilleux, répliqua la femme, vous semblez tellement amoureux. »

« Mais nous le sommes! » proclamèrent-ils d'une seule voix.

Après le départ du couple, Hélène était rayonnante.

« Sans doute savons-nous comment nous y prendre.

—Tout a commencé ici à notre dernier anniversaire, te rappelles-tu, Hélène? Nous avons décidé de prendre du temps tous les jours pour parler, d'oublier tout le reste et de ne penser qu'à nous pendant quelques instants.

— Regarde les résultats ! Cette année a été la meilleure de toutes. Nous nous améliorons à tous les tournants.

— Je ne t'ai jamais tant aimée.

— Nous nous querellons moins longtemps et moins souvent.

— Et de mon côté, je m'empresse toujours de rentrer à la maison le plus tôt possible.

— Et toi, tu me prends toujours par surprise avec tes petits cadeaux et tes cartes. Je me sens comme une adolescente.

— Je ne m'étais jamais rendu compte à quel point ce serait plaisant de faire des choses folles et romantiques avec toi. Je t'aime, chérie. »

Pour décider de la durée de notre échange, qu'il s'agisse de cinq minutes ou d'une heure, nous pouvons préciser à l'avance l'aspect de notre relation que nous souhaitons approfondir, ce soir-là en particulier. Autrement, chacun abordera son propre sujet et l'autre ne sera pas préparé. Les appels téléphoniques que nous nous faisons durant la journée ne sont que des rappels: je te rappelle d'aller chercher du lait et tu me demandes s'il y a quelque chose de spécial au courrier aujourd'hui; nous parlons du temps qu'il fait ou de la circulation sur la route, ou d'un événement quelconque aux nouvelles. Je pourrais plutôt te dire que je pense à « nous » et nous pourrions décider du sujet de notre échange en soirée.

Certains croient que c'est un peu exagéré. Pourquoi un couple devrait-il tant insister pour se parler, et même prévoir des périodes définies? La réponse est bien simple: c'est qu'il n'y a pas d'autre façon de le faire. Nous réservons du temps pour nos enfants. Pourquoi ne le ferions-nous pas pour nous aussi?

Après le souper,
nous prenons toujours le temps
de parler de nous.
Les enfants nous aident
à y penser.

Pourquoi planifier vos conversations entre vous ?

Votre réponse :

D'abord et avant tout, en planifiant nos conversations, nous pouvons explorer plus loin dans l'horizon de l'autre. Durant la journée, même en l'absence de l'autre, notre façon d'agir reflète notre relation.

Le souvenir de la conversation de la veille revient à la surface. Nous pensons plus souvent à l'autre durant la journée. Le seul fait que nous sachions que nous allons échanger pendant une demi-heure dans la soirée nous rappelle l'un à l'autre pendant la journée. Cela nous crée un point de repère.

En outre, les conversations donnent naissance à d'autres conversations. Plus nous parlons de nous-mêmes, plus nous avons de choses à dire.

Lorsque d'anciens amis se rencontrent, ils se rendent souvent compte qu'ils n'ont plus grand-chose en commun. Jadis leur amitié était très grande; aucune barrière n'a été levée intentionnellement entre eux, et pourtant leur lien date déjà. Chacun a vécu bien des événements en l'absence de l'autre. Il en est de même d'une relation mari et femme. Lorsqu'ils ont des activités distinctes pendant un certain temps, chacun subit une métamorphose, minime ou grande. Ils se découvrent en train de chercher des sujets de conversation et ils parlent de tout et de rien. Plus ils sont ensemble, plus ils sont conscients l'un de l'autre, plus ils s'intéressent l'un à l'autre et plus ils se comprennent, s'apprécient et s'aiment.

Autrement dit, nous devenons des experts de l'autre, sachant déceler chaque nuance, enregistrer toute information nouvelle, capables de former une image distincte avec un tas de petits riens, et sachant donner à l'autre une importance considérable.

Beaucoup de problèmes s'effaceront. Mieux je te connais et que tu me connais, plus tu m'absorbes et que je t'absorbe, plus les détails et les déceptions insignifiantes diminueront. Nous aurons une perspective renouvelée et vitalisante.

Alain et Viviane découvrirent la vérité de cette affirmation. Au début, ils avaient des scènes de ménage terribles. Ils reconnurent que leurs querelles n'étaient pas saines pour eux. Ils ne les menaient pas jusqu'au bout et elles n'éclaircissaient pas la question. Un soir, ce fut particulièrement animé. Après la grande flambée, il y eut un silence de mort. Tous deux demeurèrent assis. Comme si en quittant la pièce, l'un ou l'autre admettrait sa défaite. Ils évitèrent soigneusement de croiser leurs regards. Alain tenait son journal et refusait de lâcher prise tandis que Viviane était absorbée par son livre. À l'arrière-plan, le téléviseur ne cessait pas de ronronner. Finalement Alain jeta son journal à terre, éteignit la télé et dit: « Écoute, Viviane, nous devrions être des gens normaux et intelligents, mais nous agissons en parfaits idiots.

— Ah vraiment? Alors, tu veux que nous nous querellions encore?

— Non. Voilà justement la question. Je ne veux plus me quereller. Nous le faisons tellement souvent qu'à la fin ce n'est plus qu'une seule et longue querelle. Tu me dis que je ne te parle jamais, et je te demande de quoi je devrais te parler. Tu es troublée parce que je ne dis rien et moi j'ai les nerfs à fleur de peau parce que tu ne cesses pas de me poser des questions sur ce qui s'est passé au bureau et parce que tu ne manques pas de me raconter chaque petit bobo en détail. Mais qu'est-ce que tu as donc? Tu n'étais pas comme ça quand nous nous sommes mariés. Et de mon côté, je ne me rappelle pas avoir été bien cachottier non plus. Je sais que c'est mauvais de ne jamais parler, mais réellement, je n'ai rien à dire. Je ne fais pas exprès pour t'embêter. Rien ne me vient à l'esprit. Je sais que je devrais m'intéresser davantage aux activités des enfants et à tout ce qui leur arrive. Mais nous ne pouvons tout de même pas parler de ça toute la soirée. D'ailleurs, quand tu te mets à parler de Pierrot qui a fait une chute à bicyclette ou de

Marie qui a la fièvre, de mon côté, je m'inquiète de ce qui se passe au bureau. Les responsabilités sont grandes et je me demande si j'arriverai à être à la hauteur; ou bien le patron m'a demandé pour le lendemain et je m'inquiète de ce qu'il a à me dire. »

Viviane avait l'air tout étonnée. Elle avait commencé à se lever, mais elle s'était rassise comme si ses jambes voulaient défaillir. « Inquiet, toi? » demanda-t-elle à voix très basse. Elle faisait preuve d'une délicatesse qui lui rappelait la jeune fille qu'il avait épousée. Il ne l'avait pas vue comme ça depuis bien longtemps. « Comme je suis contente, Alain. Je ne veux pas dire que je me réjouis de te voir inquiet. Mais je suis si heureuse de constater que tu n'es pas aussi indifférent que je te croyais devenu. Ne vois-tu donc pas, chéri? Il faut que je sache ce qui se passe en toi. Autrement, je vais en déduire toutes sortes de choses. Tu as bien raison au sujet de toutes les questions que je pose et des balivernes que je raconte qui n'ont aucune importance. Mais toi et moi sommes importants. Je vais oublier toutes ces questions superficielles. Parlons de nos sentiments: si nous sommes heureux, ou contents ou troublés ou inquiets ou anxieux ou tristes ou quoi que ce soit. Je tiens réellement à te connaître, et je veux aussi que tu saches comment je suis. »

Depuis le soir où Alain et Viviane ont recommencé à se parler, leur vie s'est améliorée. Alain éprouvait encore de la difficulté à exprimer ses sentiments, parce que jusque-là il avait bien réussi à faire mine de n'en éprouver aucun, et pourtant, il y arrivait, lentement mais sûrement. Il était reconnaissant à Viviane pour la patience qu'elle manifestait, et il se rendait compte à quel point elle lui aidait. Un soir, après avoir longuement exprimé ses sentiments, Alain l'étreignit: « Peut-être que tu le regrettes maintenant: lorsque je commence, je ne m'arrête plus! »

« Tu sais bien que non, Alain: c'est dans ce temps-là que tu es à ton meilleur. »

C'est vrai que les mésententes qui nous séparent simplement à cause du manque de conversation disparaîtront d'elles-mêmes. Les querelles seront moins nombreuses et dureront moins longtemps. De plus, jour après jour, nous ferons preuve de plus de délicatesse et de compréhension l'un pour l'autre. Tout le reste s'intégrera à notre mariage et nous n'aurons plus à forcer notre attention sur notre mariage.

Nous tirerons profit des instants, même les plus courts. Nous serons capables d'échanger plus profondément à n'importe quel moment.

Notre réussite dépendra d'abord et avant tout de notre réussite entre nous. Notre vie sera entre les mains de notre bien-aimé, celui qui nous aime le plus sur cette terre.

Plus tard, nous éprouverons moins de regrets, par exemple de ne lui avoir pas dit telle chose, ou de ne lui avoir pas manifesté davantage notre amour dans le passé. Souvent, lorsqu'on s'en inquiète, il est déjà trop tard!

Mais aujourd'hui, il n'est pas trop tard. Nos meilleures années restent à venir. Nous ne demanderons pas: «Qu'est-ce que la vie a à m'offrir?» Nous nous exclamerons au contraire: «Comme la vie est merveilleuse!» et nous nous rendrons compte qu'elle ne fait que commencer.